普通高中课程标准实验教科书

数 学

选 修 1-2

人民教育出版社　课程教材研究所　编著
中 学 数 学 教 材 实 验 研 究 组

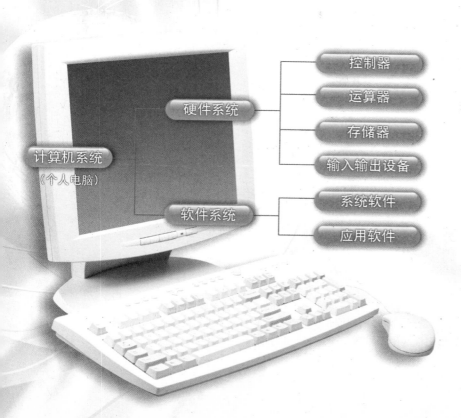

主　　编　　高存明

本册主编　　陈宏伯

编　　者　　高尚华　刘长明　李华英

　　　　　　黄　铎　陈宏伯　李汇岸

责任编辑　　龙正武

美术编辑　　李宏庆　王　喆

封面设计　　李宏庆

普通高中课程标准实验教科书

数　学

选修 1 - 2

B 版

人民教育出版社　课程教材研究所
中 学 数 学 教 材 实 验 研 究 组　编著

*

人民教育出版社 出版发行

网址：http://www.pep.com.cn

北京瑞诚印刷有限公司印装　全国新华书店经销

*

开本：890 毫米×1 240 毫米 1/16　印张：5.5 字数：122 000
2007 年 3 月第 2 版　2009 年 5 月第 11 次印刷
ISBN 978-7-107-18807-7
G·11897（课）　定价：5.50 元

本册导引

同学们：

在学习了高中数学必修课程 5 个模块和高中数学选修 1-1 模块以后，现在你即将进入本模块选修 1-2 的学习，本模块将继续为你提高数学素养，为你今后在人文、社会科学等方向的发展打下必要的基础.

本册共有四章内容，它们是：统计案例，推理与证明，数系的扩充与复数的引入，框图.

第一章"统计案例"，是你在完成必修课程数学 3 中"统计"、"概率"的基础上来学习的. 在数学 3 的学习中，你已经较为系统地经历过数据处理的全过程，从中学习了一些数据处理的方法，能够运用所学统计知识与统计方法解决一些实际问题，并初步了解了随机现象和概率的意义. 在本章的学习中，你将通过一些典型统计案例的讨论，进一步学习一些常见的统计方法，增强你对统计思想、统计方法的理解，提高你运用统计思想、统计方法观察问题、处理问题的能力.

第二章"推理与证明"，将比较系统地整理数学中常用的推理方法与证明方法. 数学是一门富于活力的学科，常常用合情推理去发现新的数学规律；数学又是一门逻辑严谨的学科，它的结论、定理和公式都要有严格的证明. 所谓证明就是用简单的道理（公理）或已知的事实（定理）去说明各种结论的正确性，其实就是说理. 通过这一章的学习，你不仅要掌握几种推理规则和证明方法，而且要进一步养成思维严谨、条理清晰、言之有理、论证有据的说理习惯，进一步提高逻辑思维能力和创新能力.

第三章"数系的扩充与复数的引入"，将简要回顾你学过的数系从自然数扩充到实数的过程，进一步将实数系扩充到复数系. 数系的不断扩充，不仅受到实际需要的驱动，而且是解决数学问题的需要. 人类理性思维的超前性在其中得以充分体现. 通过本章的学习，你将感受到数系扩充和引入复数的必要性，了解复数的一些基本知识，体会人类理性思维的重要性.

第四章"框图"，是在数学 3"程序框图"的基础上来学习的. 你将通过具体实例，进一步认识程序框图，了解工序流程图、结构图，在使用框图的过程中理解它们的特征，掌握它们的用法，体验它们在表示和解决问题的过程中的作用.

在本册的学习中，你要特别注意教材中所引入的具体案例、实际例子，着重从中领悟数学的思想和方法.

目　录

第一章　统计案例 ·· 1

1.1　独立性检验 ·· 3

1.2　回归分析 ·· 10

本章小结 ··· 21

阅读与欣赏

"回归"一词的由来 ·· 22

附表

相关性检验的临界值表 ··· 23

第二章　推理与证明 ·· 24

2.1　合情推理与演绎推理 ·· 26

◆ 2.1.1　合情推理 ··· 26

◆ 2.1.2　演绎推理 ··· 32

2.2　直接证明与间接证明 ·· 36

◆ 2.2.1　综合法与分析法 ··· 36

◆ 2.2.2　反证法 ··· 39

本章小结 ··· 42

阅读与欣赏

《原本》与公理化思想 ··· 44

数学证明的机械化——机器证明 ····································· 45

第三章　数系的扩充与复数的引入 ······································ 46

3.1　数系的扩充与复数的引入 ·· 48

◆ 3.1.1　实数系 ··· 48

◆ 3.1.2　复数的引入 ··· 51

3.2　复数的运算 ·· 57

◆ 3.2.1　复数的加法和减法 ··· 57

◆ 3.2.2　复数的乘法和除法 ··· 59

本章小结 ··· 64

阅读与欣赏

    复平面与高斯 ·· 66

第四章　框图 ·· 67

4.1　流程图 ·· 69

4.2　结构图 ·· 74

本章小结 ·· 76

阅读与欣赏

    冯·诺伊曼 ·· 78

附录

部分中英文词汇对照表 ······································ 79

后记 ·· 80

第一章 统计案例

1.1 独立性检验

1.2 回归分析

	晕　机	不晕机	合计
男　人	24	31	55
女　人	8	26	34
合　计	32	57	89

我们在必修课程数学 3 的模块中，学习过一些统计知识，接触到诸如随机抽样、用样本估计总体、线性回归分析等方法．实际上，统计知识的应用远不止于此．在一个逐步实现现代化的社会里，统计信息将越来越多，这促使我们去学习对一些统计信息进行分析、推断的本领．这里，先举两个例子．

有人对一老年烟民劝道："你快戒烟吧，否则一定会患慢性气管炎的．"他的话有没有道理？老年人患慢性气管炎与吸烟习惯有没有关系？

从一些纪实电视片或推理小说中常常看到这样的情节：刑警在案发现场仔细地搜寻罪犯的脚印．其理由之一是，我们可以根据一个人的脚印长度来预测他的身高．上述理由的根据是什么呢？

独立性检验和回归分析是解决这些问题的统计方法，它们在国民经济和日常生活的很多方面有着广泛的应用．线性回归分析的部分内容同学们在必修课程数学 3 中已有所接触，本章将进一步讨论线性回归分析的一些问题，并介绍非线性回归分析的初步知识．

本章分为两节，每节讨论一种统计方法．每节的编写特点是，把一个个的案例直接呈现在同学们面前，通过探究案例解决问题，使同学们了解这两种统计方法的基本思想、解题步骤及其初步应用．

独立性检验和回归分析只是丰富多彩的统计世界的两个部分，我们欢迎同学们进入这个世界，并希望同学们能喜爱这个世界．

		患慢性气管炎	未患慢性气管炎	合计
吸	烟	a	b	$a+b$
			d	$c+d$
合	计	$a+c$	$b+d$	n

1.1 独立性检验

独立性检验涉及到两事件独立的概念. 我们先通过一个例子来介绍两个事件 A 与 B 相互独立的含义.

例1 把一颗质地均匀的骰子任意地掷一次,设事件

$$A=\text{"掷出偶数点"},$$

$$B=\text{"掷出 3 的倍数点"},$$

试分析事件 A 与 B 及 $\overline{A}$ 与 B 的关系.

解:由于事件 A 意味着"掷出 2 点、4 点或 6 点",应用古典概型的知识,容易得出

$$P(A)=\frac{3}{6}=\frac{1}{2}.$$

事件 B 意味着"掷出 3 点或 6 点",因此

$$P(B)=\frac{2}{6}=\frac{1}{3}.$$

如果把事件 A,B 同时发生记作 $A\bigcap B$❶,简记作 AB,根据上面的分析,事件"掷出 6 点"就意味着 A,B 同时发生,也就是 AB 发生,即事件 $AB=$"掷出 6 点",不难知道

> **注**
> ❶ 同学们可以回忆,我们在必修课程数学 3 的 3.2 节"概率的一般公式"中用过事件交的符号"$\bigcap$".

$$P(AB)=\frac{1}{6}.$$

此外,

$$P(A)\times P(B)=\frac{1}{2}\times\frac{1}{3}=\frac{1}{6}.$$

此时

$$P(AB)=P(A)P(B),$$

这时就称事件 A 与 B 相互独立.

一般地,对于两个事件 A,B,如果有

$$P(AB)=P(A)P(B), \qquad ①$$

就称事件 A 与 B 相互独立,简称 A 与 B 独立.

在例 1 中,事件

$$\overline{A}=\text{"掷出奇数点"}$$
$$=\text{"掷出 1 点、3 点或 5 点"},$$

因此

$$P(\overline{A})=\frac{3}{6}=\frac{1}{2}.$$

事件

$$\overline{A}B=\text{"掷出 3 点"},$$

因此

$$P(\overline{A}B)=\frac{1}{6}.$$

于是有

$$P(\overline{A}B)=P(\overline{A})P(B),$$

即对于事件 $\overline{A}$，B 来说，①式成立，因此事件 $\overline{A}$ 与 B 也独立❷.

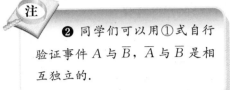

注

❷ 同学们可以用①式自行验证事件 A 与 $\overline{B}$，$\overline{A}$ 与 $\overline{B}$ 是相互独立的.

在一般情况下，下面的结论成立：

当事件 A 与 B 独立时，事件 $\overline{A}$ 与 B，A 与 $\overline{B}$，$\overline{A}$ 与 $\overline{B}$ 也独立.

例2 为了探究患慢性气管炎是否与吸烟有关，调查了 339 名 50 岁以上的人，调查结果如下表所示：

	患慢性气管炎	未患慢性气管炎	合计
吸 烟	43	162	205
不 吸 烟	13	121	134
合 计	56	283	339

试问：50 岁以上的人患慢性气管炎与吸烟习惯有关吗?

分析：例 2 中给出的表称为 2×2 列联表，意思是问题考虑 50 岁以上的人的两种状态：是否吸烟，是否患慢性气管炎；每种状态又分两个情况：吸烟，不吸烟以及患慢性气管炎，未患慢性气管炎. 表中排成两行两列的数据是调查得来的结果，希望根据这 4 个数据来检验上述两种状态是否有关. 这一检验问题就称为 2×2 列联表的独立性检验.

下面进一步分析独立性检验的含义.

为了把问题讨论清楚，并便于向一般情况推广，我们用字母来代替 2×2 列联表中的事件和数据，得到一张用字母来表示的 2×2 列联表，如下表所示：

	患慢性气管炎(B)	未患慢性气管炎($\overline{B}$)	合计
吸烟（A）	n_{11}	n_{12}	n_{1+}
不吸烟（$\overline{A}$）	n_{21}	n_{22}	n_{2+}
合 计	n_{+1}	n_{+2}	n

表中：$n_{+1}=n_{11}+n_{21}$，$n_{+2}=n_{12}+n_{22}$，$n_{1+}=n_{11}+n_{12}$，$n_{2+}=n_{21}+n_{22}$，$n=n_{11}+n_{21}+n_{12}+n_{22}$.

首先，当吸烟(A)与患慢性气管炎(B)无关时，用概率方法进行推理，看看会出现什么结果.

上面的话的意思是指事件 A 与 B 独立，这时应该有

$$P(AB)=P(A)P(B)$$

成立. 我们用字母 H_0 来表示上式，即

$$H_0:P(AB)=P(A)P(B),$$

并称之为统计假设. 当 H_0 成立时下面的三个式子也都成立：

$$P(\overline{A}B) = P(\overline{A})P(B), \quad P(A\overline{B}) = P(A)P(\overline{B}),$$
$$P(\overline{A}\,\overline{B}) = P(\overline{A})P(\overline{B}).$$

统计中有一个非常有用的 χ^2（读作"卡方"）统计量，它的表达式是

$$\chi^2 = \frac{n(n_{11}n_{22} - n_{12}n_{21})^2}{n_{1+}n_{2+}n_{+1}n_{+2}}. \qquad ②$$

用它的大小可以决定是否拒绝原来的统计假设 H_0。如果算出的 χ^2 值较大，就拒绝 H_0，也就是拒绝"事件 A 与 B 无关"，从而就认为它们是有关的了。

经过对 χ^2 统计量分布的研究，已经得到了两个临界值：3.841 与 6.635。当根据具体的数据算出的 $\chi^2 > 3.841$ 时，有 95% 的把握说事件 A 与 B 有关；当 $\chi^2 > 6.635$ 时，有 99% 的把握说事件 A 与 B 有关；当 $\chi^2 \leqslant 3.841$ 时，认为事件 A 与 B 是无关的。

对于例2，最理想的解决办法是向所有50岁以上的人做调查，然后对得到的数据进行统计处理，但这花费的代价太大，实际上是行不通的。339个人相对于全体50岁以上的人，只是一个小部分。回忆一下数学3（必修）中学过的总体和样本的关系，当用样本平均数、样本标准差去估计总体相应的数字特征时，由于抽样的随机性，结果并不唯一。现在情况类似，我们用部分对全体作推断，推断可能正确，也可能错误。例如我们知道，不少中老年烟民的身体很好，没有患慢性气管炎；而又有很多从不吸烟的中老年人体质很差，患有慢性气管炎。如果抽取的339个调查对象中很多人来自上述两个群体，试想会得出什么结论吧。我们有 95%（或 99%）的把握说事件 A 与 B 有关，是指推断结论为错误的可能性仅为 5%（或 1%），这也常常说成是"以 95%（或 99%）的概率"，其含义是一样的。

解：由公式②，有

$$\chi^2 = \frac{339 \times (43 \times 121 - 162 \times 13)^2}{205 \times 134 \times 56 \times 283}$$
$$= 7.469.$$

因为 $7.469 > 6.635$，所以我们有 99% 的把握说，50岁以上的人患慢性气管炎与吸烟习惯有关。

探索与研究

我们来简略地叙述一下构造 χ^2 统计量的思路。

当统计假设

$$H_0: P(AB) = P(A)P(B)$$

成立时，

$$P(\overline{A}B) = P(\overline{A})P(B), \quad P(A\overline{B}) = P(A)P(\overline{B}),$$
$$P(\overline{A}\,\overline{B}) = P(\overline{A})P(\overline{B})$$

都成立.

根据概率的统计定义,上面提到的众多事件的概率都可用相应的频率来估计,例如,$P(AB)$ 的估计为 $\frac{n_{11}}{n}$,$P(A)$ 的估计为 $\frac{n_{1+}}{n}$,$P(B)$ 的估计为 $\frac{n_{+1}}{n}$……

于是 $\frac{n_{11}}{n}$ 与 $\frac{n_{1+}}{n} \cdot \frac{n_{+1}}{n}$ 应该很接近,$\frac{n_{12}}{n}$ 与 $\frac{n_{1+}}{n} \cdot \frac{n_{+2}}{n}$ 应该很接近……

或者说,

$$\left(\frac{n_{11}}{n} - \frac{n_{1+}}{n} \cdot \frac{n_{+1}}{n}\right)^2, \left(\frac{n_{12}}{n} - \frac{n_{1+}}{n} \cdot \frac{n_{+2}}{n}\right)^2, \left(\frac{n_{21}}{n} - \frac{n_{2+}}{n} \cdot \frac{n_{+1}}{n}\right)^2, \left(\frac{n_{22}}{n} - \frac{n_{2+}}{n} \cdot \frac{n_{+2}}{n}\right)^2$$

应该比较小,从而

$$\frac{\left(\frac{n_{11}}{n} - \frac{n_{1+}}{n} \cdot \frac{n_{+1}}{n}\right)^2}{\frac{n_{1+}}{n} \cdot \frac{n_{+1}}{n}} + \frac{\left(\frac{n_{12}}{n} - \frac{n_{1+}}{n} \cdot \frac{n_{+2}}{n}\right)^2}{\frac{n_{1+}}{n} \cdot \frac{n_{+2}}{n}} + \frac{\left(\frac{n_{21}}{n} - \frac{n_{2+}}{n} \cdot \frac{n_{+1}}{n}\right)^2}{\frac{n_{2+}}{n} \cdot \frac{n_{+1}}{n}} + \frac{\left(\frac{n_{22}}{n} - \frac{n_{2+}}{n} \cdot \frac{n_{+2}}{n}\right)^2}{\frac{n_{2+}}{n} \cdot \frac{n_{+2}}{n}}$$

也应该比较小,上式可以化简为

$$\chi^2 = \frac{n(n_{11}n_{22} - n_{12}n_{21})^2}{n_{1+} \cdot n_{2+} \cdot n_{+1} \cdot n_{+2}}.$$

这就是 χ^2 统计量的表达式②.

例 3 对 196 个接受心脏搭桥手术的病人和 196 个接受血管清障手术的病人进行了 3 年的跟踪研究,调查他们是否又发作过心脏病,调查结果如下表所示:

	又发作过心脏病	未发作心脏病	合计
心脏搭桥手术	39	157	196
血管清障手术	29	167	196
合计	68	324	392

试根据上述数据比较这两种手术对病人又发作心脏病的影响有没有差别.

解:由公式②,有

$$\chi^2 = \frac{392 \times (39 \times 167 - 157 \times 29)^2}{196 \times 196 \times 68 \times 324} = 1.78.$$

因为 $1.78 < 3.841$,所以我们没有理由说,"心脏搭桥手术"与"又发作过心脏病"有关,可以认为病人又发作心脏病与否与其做过何种手术无关.

> 这里我们再提醒一句,上述结论是对所有做过心脏搭桥手术或血管清障手术的病人而言的,绝不要误以为只对 392 个跟踪研究对象成立.

例 4 某大型企业人力资源部为了研究企业员工工作积极性和对待企业改革态度的关系,随机抽取了 189 名员工进行调查,所得数据如下表所示:

	积极支持企业改革	不太赞成企业改革	合计
工作积极	54	40	94
工作一般	32	63	95
合　计	86	103	189

对于人力资源部的研究项目，根据上述数据能得出什么结论？

解：由公式②，有

$$\chi^2 = \frac{189 \times (54 \times 63 - 40 \times 32)^2}{94 \times 95 \times 86 \times 103} = 10.76.$$

因为 10.76＞6.635，所以有 99％ 的把握说，员工"工作积极"与"积极支持企业改革"是有关的，可以认为企业的全体员工对待企业改革的态度与其工作积极性是有关的.

例 5　在一次恶劣气候的飞行航程中调查男女乘客在机上晕机的情况如下表所示. 根据此资料是否可以认为在恶劣气候飞行中男人比女人更容易晕机？

	晕　机	不晕机	合计
男　　人	24	31	55
女　　人	8	26	34
合　　计	32	57	89

解：这是一个 2×2 列联表的独立性检验问题，由公式②，有

$$\chi^2 = \frac{89 \times (24 \times 26 - 31 \times 8)^2}{55 \times 34 \times 32 \times 57} = 3.689.$$

因为 3.689＜3.841，所以我们没有理由说晕机与否跟性别有关，尽管这次航班中男人晕机的比例 $\left(\frac{24}{55}\right)$ 比女人晕机的比例 $\left(\frac{8}{34}\right)$ 高，但我们不能认为在恶劣气候飞行中男人比女人更容易晕机.

> 在使用 χ^2 统计量作 2×2 列联表的独立性检验时，要求表中的 4 个数据大于等于 5，为此，在选取样本的容量时一定要注意这一点. 本例中的 4 个数据 24，31，8，26 都大于 5，是满足这一要求的.

例 6　打鼾不仅影响别人休息，而且可能与患某种疾病有关. 下表是一次调查所得的数据，试问：每一晚都打鼾与患心脏病有关吗？

	患心脏病	未患心脏病	合计
每一晚都打鼾	30	224	254
不 打 鼾	24	1 355	1 379
合　　计	54	1 579	1 633

解：由公式②，得

$$\chi^2 = \frac{1\,633 \times (30 \times 1\,355 - 224 \times 24)^2}{1\,379 \times 254 \times 54 \times 1\,579} = 68.033.$$

因为 $68.033 > 6.635$，所以有 99% 的把握说，每一晚都打鼾与患心脏病有关.

> 本例和例 2 类似，我们所说"每一晚都打鼾与患心脏病有关"和"患慢性气管炎与吸烟习惯有关"指的是统计上的关系，不要误以为这里是因果关系. 具体到某一个每一晚都打鼾的人，并不能说他患心脏病. 其实从 2×2 列联表中也可以看出，每一晚都打鼾的人群中，患心脏病的概率也只有 $\frac{30}{254}$，稍微超过十分之一. 至于他患不患心脏病，应该由医学检查来确定，这已经不是统计学的事了.

本节通过对 6 个例子的探究来讨论两个事件是否独立，在 2×2 列联表的独立性检验中，我们选用了 χ^2 统计量，可以用它的取值大小来推断独立性是否成立. 独立性检验在生物统计、医学统计等学科的应用很广泛，在处理调查社会问题得到的数据时，也常常使用独立性检验.

习题 1-1 A

1. 把一颗质地均匀的骰子任意掷一次，设事件 A："掷出的点数小于 4"，B："掷出 1 点或 6 点"，试用①式验证事件 A 与 $\overline{B}$ 及 $\overline{A}$ 与 $\overline{B}$ 是否独立.

2. 从一副 52 张的扑克牌中，任意抽一张出来，设事件 A："抽到黑桃"，B："抽到皇后（Q）"，试用①式验证事件 A 与 B 及 $\overline{A}$ 与 $\overline{B}$ 是否独立.

3. 在 500 个人身上试验某种血清预防感冒的作用，把一年中的记录与另外 500 个未用血清的人作比较，结果如下：

	未感冒	感 冒	合 计
试验过	252	248	500
未用过	224	276	500
合 计	476	524	1 000

问这种血清能否起到预防感冒的作用？

4. 考察小麦种子经过灭菌与否跟发生黑穗病的关系，经试验观察，得到数据如下表所示：

	种子灭菌	种子未灭菌	合 计
黑穗病	26	184	210
无黑穗病	50	200	250
合 计	76	384	460

试按照原试验目的作统计分析推断.

5. 调查者通过询问72名男女大学生在购买食品时是否看营养说明，得到的数据如下表所示：

	看营养说明	不看营养说明	合计
男大学生	28	8	36
女大学生	16	20	36
合 计	44	28	72

问大学生的性别与是否看营养说明之间有没有关系？

6. 在研究某种新措施对猪白痢的防治效果问题时，得到以下数据：

	存活数	死亡数	合计
对 照	114	36	150
新措施	132	18	150
合 计	246	54	300

试问新措施对防治猪白痢是否有效？

习题 1-1 B

全班同学分成若干个小组，每组4～5名同学，在老师的指导下，开展一次简单的调查活动，并对调查结果进行统计分析.

重新阅读本节例5和习题1-1A第5题. 实际上在我们的周围，男女同学对很多问题的看法可能有差别，也可能没有差别，可以用独立性检验的方法作出统计推断.

要求每个小组设计一个同学们较关心的只有两种答案的问题，如"你打算报考文史类高校吗"、"你对美容的态度"、"你喜欢上外语课吗"等，通过询问同学取得的数据，作独立性检验，并分析得到的结果，最后写出一份简明的调查报告.

请注意在决定样本容量时必须保证所取得的4个数据大于等于5.

1.2　回归分析

例1　研究某灌溉渠道水的流速 Y 与水深 x 之间的关系，测得一组数据如下：

水深 x/m	1.40 1.50 1.60 1.70 1.80 1.90 2.00 2.10
流速 Y/m·s^{-1}	1.70 1.79 1.88 1.95 2.03 2.10 2.16 2.21

（1）求 Y 对 x 的回归直线方程；

（2）预测水深为 1.95 m 时水的流速是多少.

分析：从散点图可以直观地看出变量 x 与 Y 之间有无线性相关关系，为此把这 8 对数据描绘在平面直角坐标系中，得到平面上 8 个点，如图 1-1 所示.

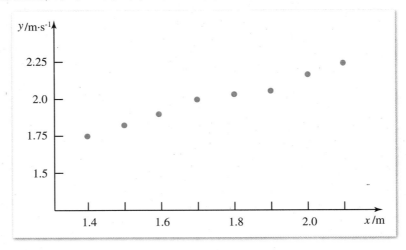

图 1-1

由图 1-1 容易看出，x 与 Y 之间有近似的线性相关关系，或者说，可以用一个回归直线方程

$$\hat{y}=a+bx$$

来反映这种关系. 这些是我们在必修课程数学 3 中学过的知识.

我们进一步观察这 8 个点，容易发现它们并不是"严格地"在一条直线上. 对于某个 x_i，由上式能确定一个 $\hat{y}_i=a+bx_i$，一般地说，由于测量流速可能存在误差，或者受某些随机因素的影响，或者上面的回归直线方程本身就不够精确，$\hat{y}_i$ 与测得的数据 y_i 很可能不相等，即

$$y_i=\hat{y}_i+\varepsilon_i \quad (i=1,2,\cdots,8),$$

其中 ε_i 是随机误差项. 于是，就有

$$y_i=a+bx_i+\varepsilon_i \quad (i=1,2,\cdots,8),$$

这就是本题的线性模型.

从上述线性模型出发，我们可以求出 a 与回归系数 b 的估计值 $\hat{a}$，$\hat{b}$，使得全部误差 ε_1，ε_2，$\cdots$，ε_8 的平方和达到最小，当然，这是一种很好的估计. 最后得到的求 $\hat{a}$，$\hat{b}$ 的数学公式为

$$\hat{b} = \frac{\sum\limits_{i=1}^{8}(x_i - \bar{x})(y_i - \bar{y})}{\sum\limits_{i=1}^{8}(x_i - \bar{x})^2},$$

$$\hat{a} = \bar{y} - \hat{b}\bar{x}.$$

我们研究在一般情况下（已知 n 对数据 $(x_1，y_1)$，$(x_2，y_2)$，$\cdots$，$(x_n，y_n)$，即 n 个点）如何推导出求 $\hat{a}$ 与 $\hat{b}$ 的公式.

随机误差

$$\varepsilon_i = y_i - a - bx_i,\ i = 1,\ 2,\ \cdots,\ n.$$

假如把这些随机误差直接相加作为总的误差是很不合理的，因为它们有正有负，相加起来可能抵消一部分. 为了不使误差之和正负抵消，我们设全部误差的平方和为

$$Q = \sum_{i=1}^{n}\varepsilon_i^2 = \sum_{i=1}^{n}(y_i - a - bx_i)^2,$$

用 Q 的大小来度量总的误差大小.

Q 是 a，b 的二元函数，记作 $Q(a，b)$，用下面的配方法可以求出 $Q(a，b)$ 达到最小值时 a，b 所取的值.

记 $\bar{x} = \dfrac{1}{n}\sum\limits_{i=1}^{n}x_i,\bar{y} = \dfrac{1}{n}\sum\limits_{i=1}^{n}y_i.$ 为了书写方便，我们一律省去求和号 $\sum$ 的上下标，为此有

$$
\begin{aligned}
Q(a，b) =& \sum\{(y_i - \bar{y}) + [\bar{y} - (a + b\bar{x})] - b(x_i - \bar{x})\}^2 \\
=& \sum(y_i - \bar{y})^2 + n[\bar{y} - (a + b\bar{x})]^2 + b^2\sum(x_i - \bar{x})^2 \\
& + 2[\bar{y} - (a + b\bar{x})]\cdot\sum(y_i - \bar{y}) - 2b[\bar{y} - (a + b\bar{x})]\cdot\sum(x_i - \bar{x}) \\
& - 2b\sum(x_i - \bar{x})(y_i - \bar{y}) \\
=& \sum(y_i - \bar{y})^2 + n[\bar{y} - (a + b\bar{x})]^2 + b^2\sum(x_i - \bar{x})^2 \\
& - 2b\sum(x_i - \bar{x})(y_i - \bar{y}) \\
=& \sum(y_i - \bar{y})^2 + n[\bar{y} - (a + b\bar{x})]^2 \\
& + \sum(x_i - \bar{x})^2\left[b^2 - 2b\frac{\sum(x_i - \bar{x})(y_i - \bar{y})}{\sum(x_i - \bar{x})^2}\right] \\
=& \sum(y_i - \bar{y})^2 + n[\bar{y} - (a + b\bar{x})]^2 + \sum(x_i - \bar{x})^2\left[b - \frac{\sum(x_i - \bar{x})(y_i - \bar{y})}{\sum(x_i - \bar{x})^2}\right]^2 \\
& - \frac{[\sum(x_i - \bar{x})(y_i - \bar{y})]^2}{\sum(x_i - \bar{x})^2}.
\end{aligned}
$$

这些略显冗长的推导，其目的是把 a，b "配" 到含有平方项的底的中间去. 对于 n 对数据来说，x_1，x_2，$\cdots$，x_n 一般不会都相等（否则这 n 对数据已经在一条平行于 y 轴的直线上了，再求回归直线已失去意义），因此

$$\sum(x_i-\overline{x})^2\neq 0.$$

观察上面最后的表达式，其中 y_i，$\overline{y}$，n，$\overline{x}$，x_i 都是已知数，含 a，b 的两项是非负数，当且仅当它们等于零时，$Q(a，b)$ 取最小值. 这就是说，当

$$\hat{b}=\frac{\sum(x_i-\overline{x})(y_i-\overline{y})}{\sum(x_i-\overline{x})^2},$$

$$\hat{a}=\overline{y}-\hat{b}\overline{x}$$

时，$Q(a，b)$ 达到最小值. 上面的 $\hat{b}$ 也可以进一步推导成

$$\hat{b}=\frac{\sum x_iy_i-n\overline{x}\,\overline{y}}{\sum x_i^2-n\overline{x}^2}.$$

至此我们推导出了求 a 与回归系数 b 的数学公式.

解：（1）由上面的分析，可以采用列表的方法计算 a 与回归系数 b.

序号	x	Y	x^2	y^2	xy
1	1.40	1.70	1.96	2.890 0	2.380
2	1.50	1.79	2.25	3.204 1	2.685
3	1.60	1.88	2.56	3.534 4	3.008
4	1.70	1.95	2.89	3.802 5	3.315
5	1.80	2.03	3.24	4.120 9	3.654
6	1.90	2.10	3.61	4.410 0	3.990
7	2.00	2.16	4.00	4.665 6	4.320
8	2.10	2.21	4.41	4.884 1	4.641
$\sum$	14.00	15.82	24.92	31.511 6	27.993

于是，有

$$\overline{x}=\frac{1}{8}\times 14.00=1.75，\overline{y}=\frac{1}{8}\times 15.82=1.977\ 5.$$

$$\hat{b}=\frac{27.993-8\times 1.75\times 1.977\ 5}{24.92-8\times 1.75^2}=0.733，$$

$$\hat{a}=1.977\ 5-0.733\times 1.75=0.694\ 2.$$

Y 对 x 的回归直线方程为

$$\hat{y}=\hat{a}+\hat{b}x=0.694\ 2+0.733x.$$

回归系数 $\hat{b}=0.733$ 的意思是，在此灌溉渠道中，水深每增加 0.1 m，水的流速平均增加 0.073 3 m/s（本例数据是以 0.1 m 为水深间隔测得的），$\hat{a}=0.694$ 可以解释为水的流速中不受水深影响的部分.

（2）由上述（1）中求出的回归直线方程，把 $x=1.95$ 代入，得到
$$\hat{y}=0.694\ 2+0.733\times1.95=2.12\text{(m/s)}.$$
计算结果表明，当水深为 1.95 m 时可以预测渠水的流速约为 2.12 m/s.

例 2 为了了解某地母亲身高 x 与女儿身高 Y 的相关关系，随机测得 10 对母女的身高如下表所示：

母亲身高 x(cm)	159	160	160	163	159	154	159	158	159	157
女儿身高 Y(cm)	158	159	160	161	161	155	162	157	162	156

试对 x 与 Y 进行一元线性回归分析，并预测当母亲身高为 161 cm 时女儿的身高为多少.

分析：把这 10 对数据画出散点图如图 1-2 所示❶，可以看出，x 与 Y 之间有近似的线性相关关系.

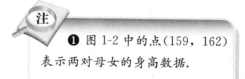

注 ❶ 图 1-2 中的点 (159，162) 表示两对母女的身高数据.

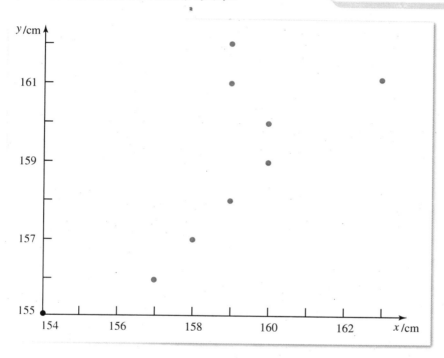

图 1-2

散点图能帮助我们寻找线性相关关系，既直观又方便. 我们用一张坐标纸❷，把已知的成对数据标在直角坐标系中便可以得到散点图.

但在实际问题中，有时很难说这些点是不是分布在某条直线附近，例如图 1-3 的两个散点图，都很难判断. 其中右边那个图中散布着的点更像在一条曲线附近.

注 ❷ 如果没有坐标纸，改用普通白纸也可以，因为我们并不要求把点标得十分准确，只要能看出这些点大致分布在某条直线附近就可以了.

此外，假如不考虑散点图，按照例 1 给出的计算 a 与回归系数 b 的公式，我们可以根据一组成对数据，求出一个回归直线方程. 但它能不能反映这组成对数据的变化规律？如果不能，这又有多少实际意义呢？

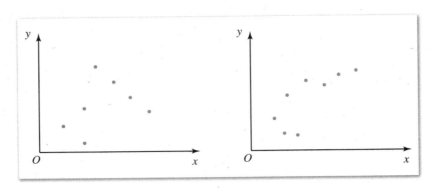

图 1-3

为了解决上述问题，我们有必要对 x 与 Y 作线性相关性检验，简称相关性检验.

对于变量 x 与 Y 随机抽取到的 n 对数据 $(x_1，y_1)$，$(x_2，y_2)$，…，$(x_n，y_n)$，检验统计量是样本相关系数

$$r = \frac{\sum (x_i - \overline{x})(y_i - \overline{y})}{\sqrt{\sum (x_i - \overline{x})^2 \sum (y_i - \overline{y})^2}}$$

$$= \frac{\sum x_i y_i - n\overline{x}\,\overline{y}}{\sqrt{\left(\sum x_i^2 - n\overline{x}^2\right)\left(\sum y_i^2 - n\overline{y}^2\right)}}.$$

r 具有以下性质：$|r| \leqslant 1$，并且 $|r|$ 越接近 1，线性相关程度越强；$|r|$ 越接近 0，线性相关程度越弱.

检验的步骤如下：

1. 作统计假设：x 与 Y 不具有线性相关关系.

2. 根据小概率 0.05 与 $n-2$ 在附表中查出 r 的一个临界值 $r_{0.05}$❶.

3. 根据样本相关系数计算公式算出 r 的值.

4. 作统计推断. 如果 $|r| > r_{0.05}$，表明有 95% 把握认为 x 与 Y 之间具有线性相关关系.

如果 $|r| \leqslant r_{0.05}$，我们没有理由拒绝原来的假设. 这时寻找回归直线方程是毫无意义的.

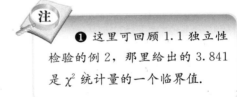

❶ 这里可回顾 1.1 独立性检验的例 2，那里给出的 3.841 是 χ^2 统计量的一个临界值.

解：由以上分析，先对 x 与 Y 作相关性检验.

1. 作统计假设：x 与 Y 不具有线性相关关系.

2. 由小概率 0.05 与 $n-2=8$ 在附表中查得

$$r_{0.05} = 0.632.$$

3. 由数据可知

$$\overline{x} = \frac{1}{10}(159 + 160 + \cdots + 157) = 158.8,$$

$$\overline{y} = \frac{1}{10}(158 + 159 + \cdots + 156) = 159.1,$$

$$\sum x_i^2 - 10\bar{x}^2 = (159^2 + 160^2 + \cdots + 157^2) - 10 \times 158.8^2$$
$$= 47.6,$$
$$\sum x_i y_i - 10\bar{x}\bar{y} = (159 \times 158 + 160 \times 159 + \cdots 157 \times 156) - 10 \times 158.8 \times 159.1$$
$$= 37.2,$$
$$\sum y_i^2 - 10\bar{y}^2 = (158^2 + 159^2 + \cdots + 156^2) - 10 \times 159.1^2$$
$$= 56.9,$$

因此

$$r = \frac{37.2}{\sqrt{47.6 \times 56.9}} = 0.71.$$

4. $|r| = 0.71 > 0.632$，即

$$|r| > r_{0.05}.$$

从而有 95% 的把握认为 x 与 Y 之间具有线性相关关系，因而求回归直线方程是有意义的.

回归系数

$$\hat{b} = \frac{37.2}{47.6} = 0.78,$$

$$\hat{a} = 159.1 - 0.78 \times 158.8 = 35.2,$$

因此 Y 对 x 的回归直线方程是

$$\hat{y} = 35.2 + 0.78x \ (\text{图 } 1\text{-}4).$$

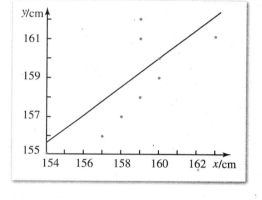

图 1-4

回归系数 0.78 反映出当母亲身高每增加 1 cm 时女儿身高平均增加 0.78 cm，$\hat{a} = 35.2$ 可以解释为女儿身高中不受母亲身高变化影响的部分.

当 $x = 161$ 时，

$$\hat{y} = 35.2 + 0.78 \times 161 = 160.78.$$

就是说当母亲身高为 161 cm 时女儿的身高大致也接近 161 cm.

例 3　某市居民 1996～2003 年货币收入 x 与购买商品支出 Y 的统计资料如下表所示：

单位：亿元

年　　份	1996	1997	1998	1999	2000	2001	2002	2003
货币收入 x	36	37	38	40	42	44	47	50
购买商品支出 Y	30.0	31.0	32.0	33.2	34.8	36.5	39.0	41.6

试对 x 与 Y 的关系进行相关性检验，如 x 与 Y 具有线性相关关系，求出 Y 对 x 的回归直线方程（结果保留 3 个有效数字）.

分析：由上述例1、例2可见，回归系数与样本相关系数的计算工作相当繁重，应当尽量借助计算器来完成. 现在国内生产的供高中生使用的科学函数计算器普遍都设置了进入回归计算的专用按键，使用起来十分方便. 我们希望同学们在掌握了回归分析的基本思想方法后，只要有条件，应该使用计算器等现代技术手段来处理数据. 下面主要介绍如何

使用计算器解决问题.

解：本例数据的散点图如1-5所示，题目要求我们对 x 与 Y 作相关性检验.

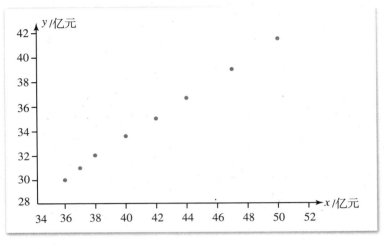

图 1-5

1. 作统计假设：x 与 Y 不具有线性相关关系.

2. 由小概率 0.05 与 $n-2=6$ 在附表中查得

$$r_{0.05}=0.707.$$

3. 使用计算器进行计算.

按键

$\boxed{\text{MODE}}$ $\boxed{3}$ $\boxed{1}$ （进入线性回归计算状态）

$\boxed{\text{SHIFT}}$ $\boxed{\text{Scl}}$ $\boxed{=}$ （将计算器存储器设置成初始状态）

36 $\boxed{,}$ 30.0 $\boxed{\text{DT}}$ 37 $\boxed{,}$ 31.0 $\boxed{\text{DT}}$ 38 $\boxed{,}$ 32.0 $\boxed{\text{DT}}$ 40 $\boxed{,}$ 33.2 $\boxed{\text{DT}}$

42 $\boxed{,}$ 34.8 $\boxed{\text{DT}}$ 44 $\boxed{,}$ 36.5 $\boxed{\text{DT}}$ 47 $\boxed{,}$ 39.0 $\boxed{\text{DT}}$ 50 $\boxed{,}$ 41.6 $\boxed{\text{DT}}$

继续按下表按键：

按键	显示结果
$\boxed{\text{SHIFT}}$ $\boxed{r}$ $\boxed{=}$	0.999246378
$\boxed{\text{SHIFT}}$ $\boxed{A}$ $\boxed{=}$	0.851152737
$\boxed{\text{SHIFT}}$ $\boxed{B}$ $\boxed{=}$	0.812247838

4. $|r|=0.999>0.707$，即

$$|r|>r_{0.05}.$$

从而有 95% 的把握认为 x 与 Y 之间具有线性相关关系，求回归直线方程是有意义的.

5. 上表中最后两行给出的 A 与 B 就是 $\hat{a}$ 与回归系数 $\hat{b}$，因此 Y 对 x 的回归直线方程是

$\hat{y}=0.851+0.812x$（图 1-6），

其中回归系数 0.812 是指居民每增加 1 亿元的货币收入，大约会有 0.812 亿元用于购买商品，$\hat{a}=0.851$ 可以解释为购买商品支出中不受货币收入变化影响的部分，反映了最基本的购买需求.

例 4 某种书每册的成本费 Y（元）与印刷册数 x（千册）有关，经统计得到数据如下：

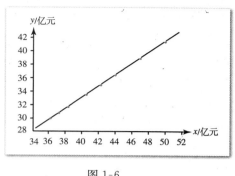

图 1-6

$$x：\quad 1 \quad 2 \quad 3 \quad 5 \quad 10 \quad 20 \quad 30 \quad 50 \quad 100 \quad 200$$
$$Y：\quad 10.15 \quad 5.52 \quad 4.08 \quad 2.85 \quad 2.11 \quad 1.62 \quad 1.41 \quad 1.30 \quad 1.21 \quad 1.15$$

检验每册书的成本费 Y 与印刷册数的倒数 $\dfrac{1}{x}$ 之间是否具有线性相关关系，如有，求出 Y 对 x 的回归方程.

分析：本例与前面三个例子不同，是非线性回归分析问题. 不妨设变量 $u=\dfrac{1}{x}$，题目要求对 u 与 Y 作相关性检验. 如果它们具有线性相关关系，就可以进一步求出 Y 对 u 的回归直线方程. 这时，再回代 $u=\dfrac{1}{x}$，就得到了 Y 对 x 的回归曲线方程.

解：首先作变量置换 $u=\dfrac{1}{x}$，题目所给数据变成如下表所示的 10 对数据：

u_i	1	0.5	0.33	0.2	0.1
y_i	10.15	5.52	4.08	2.85	2.11
u_i	0.05	0.03	0.02	0.01	0.005
y_i	1.62	1.41	1.30	1.21	1.15

然后作相关性检验：

1. 作统计假设：u 与 Y 不具有线性相关关系.

2. 由小概率 0.05 与 $n-2=8$ 在附表中查得

$$r_{0.05}=0.632.$$

3. 使用计算器进行计算.

按键

$\boxed{\text{MODE}}\ \boxed{3}\ \boxed{1}$ （进入线性回归计算状态）

$\boxed{\text{SHIFT}}\ \boxed{\text{Scl}}\ \boxed{=}$ （将计算器存储器设置成初始状态）

1 $\boxed{,}$ 10.15 $\boxed{\text{DT}}$ 0.5 $\boxed{,}$ 5.52 $\boxed{\text{DT}}$ 0.33 $\boxed{,}$ 4.08 $\boxed{\text{DT}}$ 0.2 $\boxed{,}$ 2.85 $\boxed{\text{DT}}$

0.1 $\boxed{,}$ 2.11 $\boxed{\text{DT}}$ 0.05 $\boxed{,}$ 1.62 $\boxed{\text{DT}}$ 0.03 $\boxed{,}$ 1.41 $\boxed{\text{DT}}$ 0.02 $\boxed{,}$ 1.30 $\boxed{\text{DT}}$

0.01 $\boxed{,}$ 1.21 $\boxed{\text{DT}}$ 0.005 $\boxed{,}$ 1.15 $\boxed{\text{DT}}$

继续按下表按键：

按键	显示结果
SHIFT r =	0.999819122
SHIFT A =	1.125466221
SHIFT B =	8.973424404

4. $|r|=0.999\ 8>0.632$，即

$$|r|>r_{0.05},$$

从而有 95% 的把握认为 u 与 Y 之间具有线性相关关系，求 Y 对 u 的回归直线方程有意义.

由上表立即可得

$$\hat{y}=1.125+8.973u.$$

最后回代 $u=\dfrac{1}{x}$，可得

$$\hat{y}=1.125+\dfrac{8.973}{x}.$$

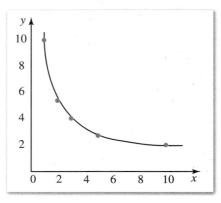

图 1-7

这就是题目要求的 Y 对 x 的回归曲线方程. 回归曲线的图形如图 1-7 所示，它是经过平移的反比例函数图象的一个分支.

　　值得注意的是，本例的数据与回归曲线是吻合得相当好的. 这表明确定性关系（如公式、函数关系等）和相关关系之间并没有一条不可逾越的鸿沟. 由于有实验误差、测量误差等存在，变量之间的确定性关系往往通过相关关系表现出来. 反过来，在有些问题中，可以通过研究相关关系来深入了解变量变化的内在规律，从而找到它们的确定性关系.

　　非线性回归问题有时并不给出经验公式. 这时我们可以画出已知数据的散点图，把它与必修模块数学 1 中学过的各种函数（幂函数、指数函数、对数函数、logistic 模型的"S"形曲线函数等）图象作比较，挑选一种跟这些散点拟合得最好的函数，然后像例 4 那样，采用适当的变量置换，把问题化为线性回归分析问题，使其得到解决.

　　我们在必修课程数学 3 中已经初步讨论过一元线性回归分析问题. 由于回归分析在生产实际和日常生活中的应用很广泛，本节通过 4 个例子的探究，可以使同学们进一步了解回归分析（包括非线性回归分析）的基本思想、方法及其初步应用. 具体做题时应尽量借助计算器.

1. 在一段时间内，某种商品价格 x(万元) 和需求量 Y(t) 之间的一组数据为：

价格 x：　1.4　　1.6　　1.8　　2　　2.2

需求量 Y：　12　　10　　7　　5　　3

（1）画出散点图；

（2）求出 Y 对 x 的回归直线方程，并在(1)的散点图中画出它的图象；

（3）如果价格定为 1.9 万元，预测需求量大约是多少（精确到 0.01 t）？

2. 弹簧长度 Y(cm)随所挂物体质量 x(g)不同而变化的情况如下：

物体质量 x：　　5　　10　　15　　20　　25　　30

弹簧长度 Y：　7.25　8.12　8.95　9.90　10.96　11.80

（1）画出散点图；

（2）进行相关性检验；

（3）求 Y 对 x 的回归直线方程；

（4）预测所挂物体质量为 27 g 时的弹簧长度（精确到 0.01 cm）.

3. 某农场对单位面积化肥用量 x(kg)和水稻相应产量 Y(kg)的关系作了统计，得到数据如下：

x：	15	20	25	30	35	40	45
Y：	330	345	365	405	445	450	455

（1）进行相关性检验；

（2）如果 x 与 Y 之间具有线性相关关系，求出回归直线方程，并预测当单位面积化肥用量为 32 kg 时水稻的产量大约是多少（精确到 0.01 kg）.

4. 电容器充电后，电压达到 100 V，然后开始放电. 由经验知道，此后电压 U 随时间 t 变化的规律用公式

$$u = A e^{bt} \quad (b < 0)$$

表示. 现测得时间 t(s) 时的电压 U(V)如下所示：

t：	0	1	2	3	4	5	6	7	8	9	10
U：	100	75	55	40	30	20	15	10	10	5	5

试求电压 U 对时间 t 的回归方程.

（提示：对公式两边取自然对数，把问题化为线性回归分析问题.）

习题 1-2 B

我们知道，如果刑警能在案发现场提取到罪犯的脚印，那将获得一条重要的破案线索. 其原因之一是人类的脚掌长度和身高存在着相关关系，可以根据一个人的脚掌长度来预测他的身高……

我们还知道，在统计史上，很早就有人收集过人们的身高、前臂长度等数据，试图寻找这些数据之间的规律……

在上述两个小故事的启发下，全班同学分成若干小组，每组4～5名同学，在老师的指导下，开展一次数学建模活动，来亲自体验回归分析的思想方法，提高自己的实践能力.

数学建模的题目是：收集周围一些人们的脚掌长度、前臂长度中的一组数据及其身高，作为两个变量画散点图、进行相关性检验，如果这两个变量之间具有线性相关关系，那么求出回归直线方程. 另选一人的这两个变量的数据，作一次预测，并分析预测结果.

最后按小组写出数学建模报告. 报告要求过程清晰，结论明确，有关数学论述准确.

需要注意以下两个问题：

(1) 如量脚掌长度不方便，可改量脚印的长度；

(2) 数据尽量取得分散一些.

本 章 小 结

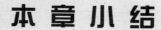 知识结构

 思考与交流

1. χ^2 统计量在 2×2 列联表的独立性检验中起了什么作用?

2. 本章的回归分析内容与必修课程数学 3 中的回归分析内容相比,你有哪些新的体会?

III 巩固与提高

1. 学习过独立性检验后,总结一下你对统计推断的认识.

2. 学习过回归分析后,总结一下你对在统计方法中应用现代计算技术的认识.

IV 自测与评估

1. 在调查的 480 名男人中有 38 名患有色盲,520 名女人中有 6 名患有色盲,试检验人的性别与患色盲与否是否独立.

2. 某车间为了规定工时定额,需要确定加工零件所花费的时间,为此作了 10 次试验,得到数据如下:

零件数 x(个): 10 20 30 40 50 60 70 80 90 100

加工时间 Y(min): 62 68 75 81 89 95 102 108 115 122

试对上述变量作回归分析,你认为工时定额定多少比较合理?

"回归"一词的由来

在 1.2 的例 2 中，通过对 10 对母女身高的探究，我们求出女儿身高对母亲身高的回归直线方程，从中可以看出，一般说来，母亲身材较高者，其女儿的身材也较高。但为什么要称这样的直线方程为回归直线方程呢？总觉得与"回归"两字有点沾不上边。

原来问题并非如此简单。"回归"作为统计学的一个术语，最早来自英国人类学家兼统计学家高尔顿（Galton）的"普用回归定律"概念。他的学生、现代统计学的奠基者之一皮尔逊（Pearson）曾收集了 1 078 对父亲及其一个成年儿子的身高数据。用 x 表示父亲身高，Y 表示儿子身高，单位用英寸（1 英寸为 2.54 cm）。高尔顿把这 1 078 对数据标在直角坐标纸上，发现散点图大致呈直线状。也就是说，总的趋势是父亲身材较高者，其儿子的身材也较高，这和上面母女身高的情况类似，也和我们的常识一致。

经过高尔顿对数据的深入分析，发现这 1 078 个 x_i 的平均值是 68 英寸，1 078 个 y_i 的平均值是 69 英寸。这就是说，子代身高平均增加了 1 英寸。人们自然会猜想，如果父亲身高为 x，那么他儿子的身高平均来说大致是 $x+1$。但高尔顿的研究结果却与人们的猜想大相径庭。他发现，当父亲身高为 72 英寸时，他们的儿子平均身高仅为 71 英寸，并没有达到预期的 73 英寸。如果父亲身高只有 64 英寸，他们的儿子平均身高为 67 英寸，竟比预期的 65 英寸高了 2 英寸。这一事实反映出子代身高有向平均值 69 英寸"回归"的倾向。

高尔顿对此的解释是：大自然具有一种约束力，使人类身高的分布在一定时期内相对稳定而不产生两极分化，这就是所谓的"回归"效应。通过这一例子，高尔顿引入了"回归"一词。用这 1 078 对数据，可以算出 x 与 Y 之间存在线性关系

$$\hat{y}=33.73+0.516x,$$

它在几何上代表一条直线，人们通常就把它称为回归直线方程了。

随着时代的发展，回归分析的应用越来越广泛，事实上，对于大多数实际问题来说，两个有着线性相关关系的变量并不都具备回归效应，"回归"分析有点名不副实。但是，由于"回归"一词沿用已久，今天实在没有必要对 1.2 节讨论的这种统计分析方法另外取一个名字了。

附 表

相关性检验的临界值表

$n-2$	小概率		$n-2$	小概率	
	0.05	0.01		0.05	0.01
1	0.997	1.000	16	0.468	0.590
2	0.950	0.990	17	0.456	0.575
3	0.878	0.959	18	0.444	0.561
4	0.811	0.917	19	0.433	0.549
5	0.754	0.874	20	0.423	0.537
6	0.707	0.834	21	0.413	0.526
7	0.666	0.798	22	0.404	0.515
8	0.632	0.765	23	0.396	0.505
9	0.602	0.735	24	0.388	0.496
10	0.576	0.708	25	0.381	0.487
11	0.553	0.684	26	0.374	0.478
12	0.532	0.661	27	0.364	0.470
13	0.514	0.641	28	0.361	0.463
14	0.497	0.623	29	0.355	0.456
15	0.482	0.606	30	0.349	0.449

注：表中的 n 为数据的对数.

第二章 推理与证明

2.1 合情推理与演绎推理

2.2 直接证明与间接证明

同学们，你们看过侦探小说《福尔摩斯探案集》吗？现在，请你阅读这本小说中描写推理的一个片段．

"……我曾经设法从爪印的大小描画出这个动物的形象．这是它站着不动时的四个爪印．你看，从前爪到后爪的距离，至少有十五英寸．再加上头和颈部的长度，你就可以得出这动物至少长二英尺，如果有尾巴，那也可能还要长些．不过现在再来看看另外的尺寸．这个动物曾经走动过，我们量出了它走一步的距离，每一步只有三英寸左右．你就可以知道，这东西身体很长，腿很短．这东西虽没有留下什么毛来，但它的大致形状，一定和我所说的一样，它能爬上窗帘，它是一种食肉动物．"

"你是怎么推断出来的呢？"

"因为窗户上挂着一只金丝雀笼子，它爬到窗帘上，似乎是要攫取那只鸟．"

通过阅读上述文字，同学们可以初步感受到推理的意义和价值．事实上，推理是人的一种思维方式，它不仅在数学中有着不可替代的重要作用，而且在物理、化学、生物、医学、政治、经济、军事、历史等各个领域都有着广泛的应用．

在本章中同学们将学习合情推理与演绎推理．合情推理是一种含有较多猜想成分的推理，它有助于发现新的规律和事实．在数学中，通过合情推理得到的命题的真实性需要通过证明来确立．数学证明实际上是由一系列的演绎推理所组成的．在实际问题的解决过程中，合情推理和演绎推理紧密联系、相辅相成．

学习数学和研究数学最令人感到困惑也是最引人入胜的环节之一，就是如何发现新的规律和事实与怎样证明规律和事实．发现新的规律和事实我们更多地运用合情推理，而证明规律和事实一般运用演绎推理．本章我们将结合已经学过的数学实例，学习分析法、综合法和反证法，应用它们证明一些简单的数学命题，以进一步掌握演绎推理的基本方法．

2.1　合情推理与演绎推理

在日常生活中，我们经常会自觉或不自觉地根据一个或几个已知事实（或假设）得出一个判断．例如，当我们看到天空乌云密布、燕子低飞、蚂蚁搬家等现象时，会得出即将下雨的判断．这种思维方式就是推理．

从结构上说，推理一般由两部分组成，一部分是已知的事实（或假设），叫做前提；一部分是由已知判断推出的新判断，叫做结论．例如，推理

$$\frac{a//b，b//c}{a//c}$$

> **注**
>
> 推理形式中，横线上面的判断是前提，横线下面的判断是结论．

中的"$a//b，b//c$"是前提，"$a//c$"是结论．推理也可以看作是用连接词将前提和结论逻辑的连接，常用的连接词有："因为……，所以……"；"如果……，那么……"；"根据……，可知……"；等等．

推理一般分为合情推理与演绎推理．

2.1.1　合情推理

考察以下事例中的推理：

（1）1856 年，法国微生物学家巴斯德发现乳酸杆菌是使啤酒变酸的原因，接着，通过对蚕病的研究，他发现细菌是引起蚕病的原因，据此，巴斯德推断人身上的一些传染病也是由细菌引起的；

（2）我国地质学家李四光发现中国松辽地区和中亚细亚的地质结构类似，而中亚细亚有丰富的石油，由此，他推断松辽平原也蕴藏着丰富的石油；

（3）因为三角形的内角和是 $180°×(3-2)$，四边形的内角和是 $180°×(4-2)$，五边形的内角和是 $180°×(5-2)$……所以 n 边形的内角和是 $180°×(n-2)$．

从上述事例可以发现，其中的推理所得结论都是可能为真的判断．像这种前提为真时，结论可能为真的推理，叫做合情推理．

归纳推理和类比推理是数学中常用的合情推理．

> 物理学家的实验归纳、历史学家的典籍论证和经济学家的统计推断是合情推理吗？为什么？

1. 归纳推理

在学习等差数列时，我们是这样推导首项为 a_1，公差为 d 的等差数列 $\{a_n\}$ 的通项公式的：

$$a_1 = a_1 + 0d,$$
$$a_2 = a_1 + d = a_1 + 1d,$$
$$a_3 = a_2 + d = a_1 + 2d,$$
$$a_4 = a_3 + d = a_1 + 3d,$$
……

等差数列$\{a_n\}$的通项公式是$a_n = a_1 + (n-1)d$.

这种根据一类事物的部分对象具有某种性质，推出这类事物的所有对象都具有这种性质的推理，叫做**归纳推理**(简称**归纳**). 归纳是从特殊到一般的过程，它属于合情推理.

下面，我们通过一个例子来得出归纳推理的一般步骤.

例如，当你看到这样的几个关系式

$$10 = 3 + 7,\ 20 = 3 + 17,\ 30 = 13 + 17$$

时，你会发现：3，7，13 和 17 这些数字都是奇质数，偶数 10，20 和 30 都可以表示为两个奇质数的和. 其他的偶数又怎么样呢？它们也有类似的性质吗？显然，第一个等于两个奇质数之和的偶数是

$$6 = 3 + 3,$$

接下去，还有

$$8 = 3 + 5,$$
$$10 = 3 + 7 = 5 + 5,$$
$$12 = 5 + 7,$$
$$14 = 3 + 11 = 7 + 7,$$
$$16 = 3 + 13 = 5 + 11.$$

这样下去总是对的吗？无论如何，所观察到的个别情况，可以启发我们提出一个一般性的命题：**任何一个大于 4 的偶数都是两个奇质数之和**❶.

> **注**
>
> ❶ 这个命题叫做哥德巴赫猜想，是由数学家哥德巴赫首先提出的. 简称"一加一"，简记为"$1+1$". 这个猜想至今没有得到证明. 我国数学家陈景润对这个猜想的证明作出了重大的阶段性成果，证明了"$1+2$"，即大偶数 N 都可以表示为 $N = p_1 + p_2$，或 $N = p_1 + p_2 p_3$，其中 p_1，p_2，p_3 都是质数.

> **归纳推理的一般步骤**：
>
> 1. 通过观察个别情况发现某些相同性质；
> 2. 从已知的相同性质中推出一个明确表述的一般性命题（猜想）.

一般地，如果归纳的个别情况越多，越具有代表性，那么推广的一般性命题就越可能为真.

例 1　用推理的形式表示等差数列 1，3，5，…，$(2n-1)$，…的前 n 项和 S_n 的归纳过程.

解：对等差数列 1，3，5，…，$(2n-1)$，…的前 1，2，3，4，5，6 项和分别进行计算：

$$S_1 = 1 = 1^2;$$
$$S_2 = 1 + 3 = 4 = 2^2;$$
$$S_3 = 1 + 3 + 5 = 9 = 3^2;$$
$$S_4 = 1 + 3 + 5 + 7 = 16 = 4^2;$$
$$S_5 = 1 + 3 + 5 + 7 + 9 = 25 = 5^2;$$
$$S_6 = 1 + 3 + 5 + 7 + 9 + 11 = 36 = 6^2.$$

数列 1，3，5，…，$(2n-1)$，…的前 n 项和 $S_n = n^2$.

例 2 设 $f(n) = n^2 + n + 41$，$n \in \mathbf{N}_+$，计算 $f(1)$，$f(2)$，$f(3)$，$f(4)$，…，$f(10)$ 的值，同时作出归纳推理，并用 $n = 40$ 验证猜想是否正确.

解：将各数值代入得

$$f(1) = 1^2 + 1 + 41 = 43,$$
$$f(2) = 2^2 + 2 + 41 = 47,$$
$$f(3) = 3^2 + 3 + 41 = 53,$$
$$f(4) = 4^2 + 4 + 41 = 61,$$
$$f(5) = 5^2 + 5 + 41 = 71,$$
$$f(6) = 6^2 + 6 + 41 = 83,$$
$$f(7) = 7^2 + 7 + 41 = 97,$$
$$f(8) = 8^2 + 8 + 41 = 113,$$
$$f(9) = 9^2 + 9 + 41 = 131,$$
$$f(10) = 10^2 + 10 + 41 = 151,$$

43，47，53，61，71，83，97，113，131，151 都是质数.

当 n 取任何正整数时，$f(n) = n^2 + n + 41$ 的值都是质数.

因为当 $n = 40$ 时，$f(40) = 40^2 + 40 + 41 = 41 \times 41$，所以 $f(40)$ 是合数. 因此，上面由归纳推理得到的猜想不正确.

虽然由归纳推理所得到的结论未必是正确的，但它所具有的由特殊到一般，由具体到抽象的认识功能，对于数学的发现却是十分有用的. 观察、实验，对有限的资料作归纳整理，提出带有规律性的猜想，是数学研究的基本方法之一.

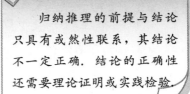

归纳推理的前提与结论只具有或然性联系，其结论不一定正确. 结论的正确性还需要理论证明或实践检验.

探索与研究

"复杂的多面体有许多面、顶点和棱"，这是多面体给人们最初的印象，那么多面体的面数 F、顶点数 V 和棱数 E 之间有什么关系呢？试用归纳推理得出它们之间的关系.

提示：数一数图 2-1 中的面数 F、顶点数 V 和棱数 E，得出表 2-1.

图 2-1

表 2-1

多面体	面数（F）	顶点数（V）	棱数（E）
三棱锥	4	4	6
四棱锥	5	5	8
三棱柱	5	6	9
五棱锥	6	6	10
立方体	6	8	12
正八面体	8	6	12
五棱柱	7	10	15
截角正方体	7	10	15
尖顶塔	9	9	16

练习 A

1. 观察圆周上 n 个点之间所连的弦，发现两个点可以连一条弦，3 个点可以连 3 条弦，4 个点可以连 6 条弦，5 个点可以连 10 条弦，你由此可以归纳出什么规律？

2. 应用归纳推理猜测 $\sqrt{\underbrace{111\cdots1}_{2n\text{个}1}-\underbrace{222\cdots2}_{n\text{个}2}}$ 的值（$n\in\mathbf{N}_+$）.

练习 B

1. 已知 $1+2=3$，$1+2+3=6$，$1+2+3+4=10$，$\cdots$，$1+2+3+\cdots+n=\dfrac{n(n+1)}{2}$. 观察下列立方和：

1^3，1^3+2^3，$1^3+2^3+3^3$，$1^3+2^3+3^3+4^3$，$1^3+2^3+3^3+4^3+5^3$，$\cdots$.

试归纳出上述求和的一般公式.

2. 圆周上两个点所连的弦把圆的内部分成两部分，3 个点所连的弦最多把圆的内部分成 4 部分，4 个点所连的弦最多把圆的内部分成 8 部分，5 个点所连的弦最多把圆的内部分成 16 部分，由此归纳出 n 个点所连的弦最多把圆的内部分成 2^{n-1} 部分. 这个结论正确吗？

2. 类比推理

我们知道, 三角形与四面体有如下类似性质:

(1) 三角形是平面内由直线段所围成的最简单的封闭图形; 四面体是空间中由平面所围成的最简单的封闭图形.

(2) 三角形可以看作平面上一条线段外一点与这条线段上的各点连线所形成的图形; 四面体可以看作三角形所在平面外一点与这个三角形上各点连线所形成的图形.

根据三角形的性质可以推测四面体的性质如下:

三角形	四面体
三角形两边之和大于第三边.	四面体任意三个面的面积之和大于第四个面的面积.
三角形的中位线等于第三边的一半, 且平行于第三边.	四面体的中位面(以任意三条棱的中点为顶点的三角形)的面积等于第四个面的面积的 $\frac{1}{4}$, 且平行于第四个面.
三角形的三条内角平分线交于一点, 且这个点是三角形内切圆的圆心.	四面体的六个二面角的平分面交于一点, 且这个点是四面体内切球的球心.

像这样根据两类不同事物之间具有某些类似(或一致)性, 推测其中一类事物具有与另一类事物类似(或相同)的性质的推理, 叫做**类比推理**(简称类比).

> 类比推理的一般步骤:
>
> **1.** 找出两类事物之间的相似性或一致性;
>
> **2.** 用一类事物的性质去推测另一类事物的性质, 得出一个明确的命题(猜想).

一般地, 事物的各个性质之间并不是孤立存在的, 而是相互联系和相互制约的. 如果两个事物在某些性质上相同或类似, 那么它们在另一些性质上也可能相同或类似, 类比的结论可能是真的. 类比也属于合情推理.

在一般情况下, 如果类比的相似性越多, 相似的性质与推测的性质之间越相关, 那么类比得出的命题就越可能为真.

例3 找出圆与球的相似性质, 并用圆的下列性质类比球的有关性质:

(1) 圆心与弦(非直径)中点的连线垂直于弦;

(2) 与圆心距离相等的两弦相等;

(3) 圆的周长 $C=\pi d$(d 为直径);

(4) 圆的面积 $S=\pi r^2$.

解: 圆与球有下列相似的性质:

1. 圆是平面上到一定点的距离等于定长的所有点构成的集合, 球面是空间中到一定点的距离等于定长的所有点构成的集合;

2. 圆是平面内封闭的曲线所围成的对称图形, 球是空间中封闭的曲面所围成的对称图形.

与圆的有关性质类比，可以推测球的有关性质：

圆	球
（1）圆心与弦（非直径）中点的连线垂直于弦.	球心与截面圆（不经过球心的小截面圆）圆心的连线垂直于截面.
（2）与圆心距离相等的两条弦长相等.	与球心距离相等的两个截面圆面积相等.
（3）圆的周长 $C=\pi d$.	球的表面积 $S=\pi d^2$.
（4）圆的面积 $S=\pi r^2$.	球的体积 $V=\pi r^3$.

其中前三个类比得到的结论是正确的，最后一个则是错误的．由此可见，类比的结论只具有或然性，即可能真，也可能假.

虽然由类比所得到的结论未必是正确的，但是它所具有的由特殊到特殊的认识功能，对于发现新的规律和事实却是十分有用的.

在平面上，我们如果用一条直线去截正方形的一个角，那么截下的是一个直角三角形，按照图 2-2 所标边长由勾股定理有

$$c^2=a^2+b^2.$$

现在我们设想：把平面上的正方形换成空间中的正方体，把截线换成如图的截面．这时从正方形截下的直角三角形换成了从正方体截下的三条侧棱两两垂直的三棱锥 $O\text{-}LMN$．如果我们用 A，B，C 分别表示这个三棱锥的三个侧面的面积，用 D 表示底面 $\triangle LMN$ 的面积，这时空间图形的表面面积就相当于平面图形中的边长．现在要问：在立体几何中，和平面几何的勾股定理相类似的定理，将是什么？验证你的猜想.

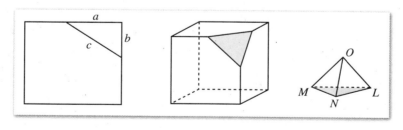

图 2-2

1. 把下面在平面内成立的结论类比地推广到空间，并判断类比的结论是否成立：

   (1) 如果一条直线与两条平行线中的一条相交，则必与另一条相交.

   (2) 如果两条直线同时垂直于第三条直线，则这两条直线互相平行.

2. 把空间平行六面体与平面上的平行四边形类比，试由"平行四边形对边相等"得出平行六面体的相关性质.

2.1.2 演绎推理

我们先看一个简单的例子.

命题：等腰三角形的两底角相等.

已知：在 $\triangle ABC$ 中，$AB=AC$，求证：$\angle B=\angle C$.

证明：作 $\angle A$ 的角平分线 AD，则 $\angle BAD=\angle CAD$.

又因为 $AB=AC$，$AD=AD$，所以

$$\triangle ABD\cong\triangle ACD.$$

因此 $\angle B=\angle C$.

分析上述推理过程，若记

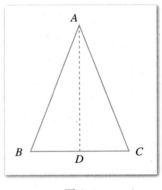

图 2-3

$$p_1：\angle BAD=\angle CAD,$$
$$p_2：AB=AC,$$
$$p_3：AD=AD,$$
$$p_4：\triangle ABD\cong\triangle ACD,$$
$$q：\angle B=\angle C,$$

则可以看出，我们是根据 p_1，p_2，p_3 三个条件为真，依据三角形全等的判定定理推出 p_4 为真，进而又根据三角形全等的定义，得到 q 为真. 这种由概念的定义或一些真命题，依照一定的逻辑规则得到正确结论的过程，通常叫做**演绎推理**

与合情推理不同的是，演绎推理的特征是：当前提为真时，结论必然为真.

演绎推理中经常使用的是由大前提、小前提得到结论的三段论推理. 例如

所有平行四边形对角线互相平分

菱形是平行四边形

所以，菱形的对角线互相平分

就是一个典型的三段论推理，其中大前提是"所有平行四边形对角线互相平分"，小前提是"菱形是平行四边形"，结论是"菱形的对角线互相平分".

一般地，三段论可表示为

$$M 是 P$$
$$S 是 M$$
$$\overline{\text{所以，} S 是 P}$$

其中大前提"M 是 P"提供一般性原理，小前提"S 是 M"指出一个特殊的对象，大前提和小前提结合，得出一般性原理和特殊对象之间的内在联系，从而得出结论"S 是 P".

> **注**　在数学中，证明命题的正确性，都是用演绎推理. 而合情推理不能当作证明.

在实际使用三段论推理时，为了简洁起见，大家经常略去大前提或者小前提，有时甚至这两者都略去，例如"25 能被 5 整除"这个推理，就省略了大前提"末位数字为 5 的整数能被 5 整除"和小前提"25 是末位数字为 5 的整数".

例 1　已知：空间四边形 $ABCD$ 中，点 E，F 分别是 AB，AD 的中点（图 2-4）.

求证：$EF /\!/$ 平面 BCD.

证明：连接 BD.

因为点 E，F 分别是 AB，AD 的中点，所以
$$EF /\!/ BD.$$
又因为 $EF \not\subset$ 平面 BCD，$BD \subset$ 平面 BCD，所以
$$EF /\!/ \text{平面} BCD.$$

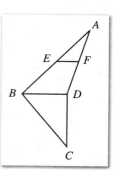

图 2-4

在这个例子中，实际上是两次使用了三段论推理：第一次是由 EF 是 $\triangle ABD$ 的中位线，推出 $EF /\!/ BD$，推理时省略了大前提"三角形的中位线平行于第三边"；第二次是由 $EF /\!/ BD$，推出 $EF /\!/$ 平面 BCD，推理时省略了大前提"如果平面外一条直线和这个平面内的一条直线平行，那么这条直线和这个平面平行".

例 2　求证：当 $a > 1$ 时，有
$$\log_a(a+1) > \log_{(a+1)} a.$$

证明：因为 $a > 1$，所以
$$\log_a(a+1) > \log_a a = 1. \qquad\qquad ①$$
又因为 $a+1 > 1$，所以
$$\log_{(a+1)} a < \log_{(a+1)}(a+1) = 1. \qquad\qquad ②$$
由①②两式可知
$$\log_a(a+1) > \log_{(a+1)} a.$$

在这个证明过程中，关键步骤是：（1）$\log_a(a+1) > 1$，（2）$\log_{(a+1)} a < 1$. 因此原式成立. 这里用到的推理规则是"如果 aRb，bRc，则 aRc"，其中"R"表示具有传递性的关系. 这种推理规则叫做传递性关系推理.

例 3　证明函数 $f(x) = x^6 - x^3 + x^2 - x + 1$ 的值恒为正数.

证明：当 $x < 0$ 时，$f(x)$ 各项都为正数，因此，当 $x < 0$ 时，$f(x)$ 为正数；

当 $0 \leqslant x \leqslant 1$ 时，

$$f(x) = x^6 + x^2(1-x) + (1-x) > 0;$$

当 $x > 1$ 时，

$$f(x) = x^3(x^3-1) + x(x-1) + 1 > 0.$$

综上所述，函数 $f(x)$ 的值恒为正数.

在这个证明中，对 x 所有可能的取值都给出了 $f(x)$ 为正数的证明，因此断定 $f(x)$ 恒为正数. 这种把所有情况都考虑在内的演绎推理规则叫做完全归纳推理. 又如，对所有的 $n(3 \leqslant n \leqslant 10)$，证明 n 边形的内角和为 $(n-2)\pi$，就是完全归纳推理.

练习A

1. 指出下列推理的两个步骤分别遵循哪种推理规则：

   如图，因为 $AB /\!/ CD$，所以
   $$\angle 1 = \angle 2.$$
   又因为 $\angle 2 = \angle 3$，所以
   $$\angle 1 = \angle 3.$$

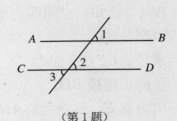

（第1题）

2. 举例说明归纳推理与完全归纳推理的区别.

练习B

1. 写出三角形内角和定理的证明，指出每一步推理的大前提和小前提.

2. 运用完全归纳推理证明：函数 $f(x) = x^8 - x^5 + x^2 - x + 1$ 的值恒为正数.

习题 2-1 Ⓐ

1. 观察

$$\frac{1}{2}(1 \times 2 - 0 \times 1) = 1,$$

$$\frac{1}{2}(2 \times 3 - 1 \times 2) = 2,$$

$$\frac{1}{2}(3 \times 4 - 2 \times 3) = 3,$$

$$\frac{1}{2}(4\times5-3\times4)=4,$$

......

你能得出什么猜想？证明你的猜想.

2. 判别下列推理是否正确：

(1) 如果不买彩票，那么就不能中奖. 因为你买了彩票，所以你一定中奖；

(2) 因为正方形的对角线互相平分且相等，所以一个四边形的对角线互相平分且相等，则此四边形是正方形；

(3) 如果 $a>b$，$a>c$，则 $a-b>a-c$；

(4) 如果 $a>b$，$c>d$，则 $a-d>b-c$.

习题 2-1 B

1. 代数中有乘法公式

$$(a-b)(a+b)=a^2-b^2,$$
$$(a-b)(a^2+ab+b^2)=a^3-b^3,$$

再以乘法运算继续求，可知

$$(a-b)(a^3+a^2b+ab^2+b^3)=a^4-b^4,$$
$$(a-b)(a^4+a^3b+a^2b^2+ab^3+b^4)=a^5-b^5,$$

......

观察上述结果，你能得出什么猜想？

2. 判断下面的推理是否正确，并用符号表示其中蕴涵的推理规则：

已知 $(m+1)(5m+1)$ 是 5 的倍数，可知或者 $m+1$ 是 5 的倍数，或者 $5m+1$ 是 5 的倍数；因为 $5m+1$ 不是 5 的倍数，所以 $m+1$ 是 5 的倍数.

3. 求证：如果一条直线垂直于两条相交直线，那么这条直线垂直于这两条相交直线所在的平面.

2.2 直接证明与间接证明

2.2.1 综合法与分析法

直接证明是从命题的条件或结论出发，根据已知的定义、公理、定理，直接推证结论的真实性. 常用的直接证明方法有综合法与分析法.

综合法是从原因推导到结果的思维方法，而分析法是从结果追溯到产生这一结果的原因的思维方法. 具体地说，综合法是从已知条件出发，经过逐步的推理，最后达到待证结论. 分析法则是从待证结论出发，一步一步地寻求结论成立的充分条件，最后达到题设的已知条件或已被证明的事实.

下面我们先看两个综合法证明的例子.

例 1 求证：$\dfrac{1}{\log_5 19}+\dfrac{2}{\log_3 19}+\dfrac{3}{\log_2 19}<2$.

证明：因为 $\log_a b=\dfrac{1}{\log_b a}$，所以

$$
\begin{aligned}
左边 &= \log_{19}5 + 2\log_{19}3 + 3\log_{19}2 \\
&= \log_{19}5 + \log_{19}3^2 + \log_{19}2^3 \\
&= \log_{19}(5 \times 3^2 \times 2^3) \\
&= \log_{19}360.
\end{aligned}
$$

因为 $\log_{19}360<\log_{19}361=2$，所以

$$
\frac{1}{\log_5 19}+\frac{2}{\log_3 19}+\frac{3}{\log_2 19}<2.
$$

这个证明就是从已知条件出发，进行简单的运算和推理，得到要证明的结论. 其中要用到一些已经证明的命题.

例 2 如图 2-5，设在四面体 $PABC$ 中，$\angle ABC=90°$，$PA=PB=PC$，D 是 AC 的中点. 求证 PD 垂直于 $\triangle ABC$ 所在平面.

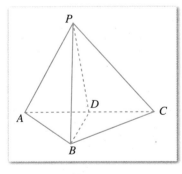

图 2-5

证明：连 PD，BD，因为 BD 是 $\mathrm{Rt}\triangle ABC$ 斜边上的中线，所以 $DA=DC=DB$. 又因为 $PA=PB=PC$，而 PD 是 $\triangle PAD$，$\triangle PBD$，$\triangle PCD$ 的公共边，所以

$$\triangle PAD\cong\triangle PBD\cong\triangle PCD.$$

于是，$\angle PDA=\angle PDB=\angle PDC$，而 $\angle PDA=\angle PDC=90°$，因此，$\angle PDB=90°$. 可见 $PD\perp AC$ 和 $PD\perp BD$. 由此可知 PD 垂直于 $\triangle ABC$ 所在平面.

这个证明的步骤是：

(1) 由已知 BD 是 $\mathrm{Rt}\triangle ABC$ 斜边上的中线，推出 $DA=DB=DC$，记为 $P_0(已知)\Rightarrow P_1$；

(2) 由 $DA=DB=DC$ 和已知条件，推出三个三角形全等，记为 $P_1 \Rightarrow P_2$；

(3) 由三个三角形全等，推出 $\angle PDA=\angle PDB=\angle PDC=90°$，记为 $P_2 \Rightarrow P_3$；

(4) 由 $\angle PDA=\angle PDB=\angle PDC=90°$，推出 $PD\perp\triangle ABC$，记为 $P_3 \Rightarrow P_4$（结论）.

这个证明步骤用符号表示就是

$$P_0（已知）\Rightarrow P_1 \Rightarrow P_2 \Rightarrow P_3 \Rightarrow P_4（结论）.$$

这是一例典型的综合法证明.

接下来，我们看两个分析法证明的例子.

例 3 求证：$\sqrt{3}+\sqrt{7}<2\sqrt{5}$.

证明：因为 $\sqrt{3}+\sqrt{7}$ 和 $2\sqrt{5}$ 都是正数，所以为了证明

$$\sqrt{3}+\sqrt{7}<2\sqrt{5},$$

只需证明

$$(\sqrt{3}+\sqrt{7})^2<(2\sqrt{5})^2,$$

展开得

$$10+2\sqrt{21}<20,$$

即

$$\sqrt{21}<5,$$

只需证明

$$21<25.$$

因为 $21<25$ 成立，所以不等式 $\sqrt{3}+\sqrt{7}<2\sqrt{5}$ 成立.

用分析法证明的逻辑关系是

$$B（结论）\Leftarrow B_1 \Leftarrow B_2 \cdots \Leftarrow B_n \Leftarrow A（已知）.$$

在分析法证明中，从结论出发的每一个步骤所得到的判断都是结论成立的充分条件. 最后一步归结到已被证明了的事实. 因此，从最后一步可以倒推回去，直到结论，但这个倒推过程可以省略.

例 4 求证：当一个圆和一个正方形的周长相等时，圆的面积比正方形的面积大.

证明：设圆和正方形的周长为 L，依题意，圆的面积为 $\pi\left(\dfrac{L}{2\pi}\right)^2$，正方形的面积为 $\left(\dfrac{L}{4}\right)^2$. 因此本题只需证明

$$\pi\left(\frac{L}{2\pi}\right)^2>\left(\frac{L}{4}\right)^2.$$

为了证明上式成立，只需证明

$$\frac{\pi L^2}{4\pi^2}>\frac{L^2}{16},$$

两边同乘以正数 $\dfrac{4}{L^2}$，得

$$\frac{1}{\pi}>\frac{1}{4}.$$

因此，只需证明

$$4 > \pi.$$

因为上式是成立的，所以

$$\pi\left(\frac{L}{2\pi}\right)^2 > \left(\frac{L}{4}\right)^2.$$

这就证明了，如果一个圆和一个正方形的周长相等，那么圆的面积比正方形的面积大.

从前面的例子可以看出，分析法的特点是：从"未知"看"需知"，逐步靠拢"已知"，其逐步推理，实际上是要寻找它的充分条件. 综合法的特点是：从"已知"看"可知"，逐步推向"未知"，其逐步推理，实际上是寻找它的必要条件. 分析法与综合法各有其特点. 有些具体的待证命题，用分析法或综合法都可以证明出来，人们往往选择比较简单的一种.

用综合法或分析法证明：

1. 已知 n 是大于 1 的自然数，求证：$\log_n(n+1) > \log_{n+1}(n+2)$.

2. 已知 a，b，c 表示 $\triangle ABC$ 的边长，$m > 0$，求证：

$$\frac{a}{a+m} + \frac{b}{b+m} > \frac{c}{c+m}.$$

用综合法或分析法证明：

1. 求证：$\sqrt{a} - \sqrt{a-1} < \sqrt{a-2} - \sqrt{a-3}\,(a \geqslant 3)$.

2. 如果 $3\sin\beta = \sin(2\alpha+\beta)$，求证 $\tan(\alpha+\beta) = 2\tan\alpha$.

2.2.2 反 证 法

证明命题"设 p 为正整数，如果 p^2 是偶数，则 p 也是偶数"，我们可以不去直接证明 p 是偶数，而是否定 p 是偶数，然后得出矛盾，从而肯定 p 是偶数．具体证明步骤如下：

假设 p 不是偶数，可令

$$p = 2k + 1，k 为整数．$$

可得 $p^2 = (2k+1)^2 = 4k^2 + 4k + 1$，此式表明，$p^2$ 是奇数，这与已知矛盾．因此假设 p 不是偶数不成立，从而证明 p 为偶数．

一般地，由证明 $p \Rightarrow q$ 转向证明

$$\neg q \Rightarrow r \Rightarrow \cdots \Rightarrow t，$$

t 与假设矛盾，或与某个真命题矛盾，从而判定 $\neg q$ 为假，推出 q 为真的方法，叫做**反证法**．

例 1 证明 $\sqrt{2}$ 不是有理数．

证明：假定 $\sqrt{2}$ 是有理数，则可设 $\sqrt{2} = \dfrac{p}{q}$，其中 $p，q$ 为互质的正整数．

$\sqrt{2} = \dfrac{p}{q}$ 两边平方，变形后得

$$2q^2 = p^2．\qquad\qquad ①$$

①式表明，p^2 是偶数，从而 p 也是偶数．

于是可令 $p = 2l$，l 是正整数，代入①式，得

$$q^2 = 2l^2．$$

因为 q^2 是偶数，所以 q 也是偶数．这样 $p，q$ 有公因数 2，这与 $p，q$ 互质矛盾．因此，假设 $\sqrt{2}$ 是有理数不成立．于是，$\sqrt{2}$ 不是有理数．

从例 1 看出，反证法不是去直接证明结论，而是先否定结论，在否定结论的基础上，运用演绎推理，导出矛盾，从而肯定结论的真实性．

所谓矛盾主要是指：

（1）与假设矛盾（上述例子便是导致了与已假设的矛盾）；

（2）与数学公理、定理、公式、定义或已被证明了的结论矛盾；

（3）与公认的简单事实矛盾（例如，导出 $0 = 1$，$0 \neq 0$ 之类的矛盾）．

例 2 证明 $1，\sqrt{3}，2$ 不能为同一等差数列的三项．

证明：假设 $1，\sqrt{3}，2$ 是某一等差数列的三项．设这一等差数列的公差为 d，则

$$1 = \sqrt{3} - md，2 = \sqrt{3} + nd，$$

其中 $m，n$ 为某两个正整数，由上面两式消去 d，得

$$n + 2m = (n + m)\sqrt{3}．$$

因为 $n + 2m$ 为有理数，而 $(n + m)\sqrt{3}$ 为无理数，所以 $n + 2m \neq (n + m)\sqrt{3}$．因此假设不

成立，即 1，$\sqrt{3}$，2 不能为同一等差数列的三项.

例 3 平面上有四个点，没有三点共线. 证明以每三点为顶点的三角形不可能都是锐角三角形.

证明：假设以每三点为顶点的四个三角形都是锐角三角形，记这四个点为 A，B，C，D. 考虑 $\triangle ABC$，点 D 在 $\triangle ABC$ 之内或之外两种情况：

（1）如果点 D 在 $\triangle ABC$ 之内（图 2-6），根据假设围绕点 D 的三个角都是锐角，其和小于 $270°$，这与一个周角等于 $360°$ 矛盾；

（2）如果点 D 在 $\triangle ABC$ 之外（图 2-7），根据假设 $\angle A$，$\angle B$，$\angle C$，$\angle D$ 都小于 $90°$，这和四边形内角之和等于 $360°$ 矛盾.

综上所述，题中结论成立.

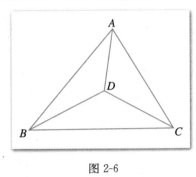

图 2-6

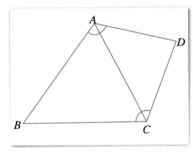

图 2-7

应用反证法证明数学命题的一般步骤：

（1）分清命题的条件和结论；

（2）做出与命题结论相矛盾的假定；

（3）由假定出发，应用正确的推理方法，推出矛盾的结果；

（4）断定产生矛盾结果的原因，在于开始所做的假定不真，于是原结论成立，从而间接地证明命题为真.

1. 用反证法证明：设直线 a，b，c 在同一平面上，如果 $a/\!/c$，$b/\!/c$，那么 $a/\!/b$.

2. 设 p 是质数，证明 $\sqrt{p}$ 是无理数.

用反证法证明:

1. 如果 $x > \dfrac{1}{2}$,那么 $x^2 + 2x - 1 \neq 0$.

2. $\lg 2$ 是无理数.

习题 2-2 A

1. 设实数 $x \neq -1$,求证:

$$\frac{x^2 - 6x + 5}{x^2 + 2x + 1} \geqslant -\frac{1}{3}.$$

2. 求证 $\sqrt{6} + \sqrt{7} > 2\sqrt{2} + \sqrt{5}$.

3. 用反证法证明:过一点与一平面垂直的直线只有一条.

4. 设 p,q 是奇数,试证明 $x^2 + 2px + 2q = 0$ 没有有理根.

习题 2-2 B

1. 求证 $(ac + bd)^2 \leqslant (a^2 + b^2)(c^2 + d^2)$.

2. 设有比例式

$$\frac{x}{y+z} = \frac{y}{z+x} = \frac{z}{x+y}.$$

由比例性质可得

$$\frac{x}{y+z} = \frac{y}{z+x} = \frac{z}{x+y} = \frac{x+y+z}{(y+z)+(z+x)+(x+y)} = \frac{1}{2},$$

$$\frac{x}{y+z} = \frac{y}{z+x} = \frac{x-y}{(y+z)-(z+x)} = -1,$$

由此可得 $\dfrac{1}{2} = -1$.

试指出这个推理的错误所在.

3. 求证:正三棱锥的侧棱与底面的对边垂直.

4. 设 a,b,c,d 是正有理数,$\sqrt{c}$ 和 $\sqrt{d}$ 是无理数,证明 $a\sqrt{c} + b\sqrt{d}$ 是无理数.

5. 设 a 为实数,$f(x) = x^2 + ax + a$,求证 $|f(1)|$ 与 $|f(2)|$ 中至少有一个不小于 $\dfrac{1}{2}$.

本 章 小 结

Ⅰ 知识结构

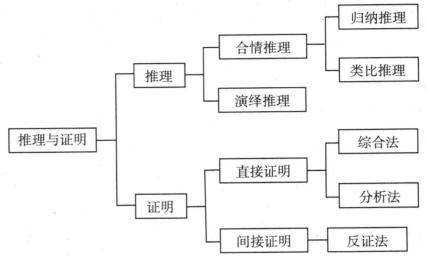

Ⅱ 思考与交流

1. 试举例说明归纳推理与类比推理的区别.

2. 演绎推理的特征是怎样的？试举例说明.

3. 合情推理与演绎推理各有怎样的特点？合情推理与演绎推理在数学中各起着怎样的作用，试举例说明.

4. 综合法与分析法各有怎样的特点？试举例说明.

5. 举例说明运用反证法导出的矛盾主要有哪些.

Ⅲ 巩固与提高

1. 考察下列各式：

$$1＝0＋1,$$
$$2＋3＋4＝1＋8,$$
$$5＋6＋7＋8＋9＝8＋27,$$
$$10＋11＋12＋13＋14＋15＋16＝27＋64.$$

(顶部手写内容)

6. ∵ a+b=1 ∴ a=1-b b=1-a
ax²+by²-(ax+by)²
=ax²+by²-a²x²-2abxy-b²y²
=a(1-a)x²-2abxy+b(1-b)y²
=abx²-2abxy+aby²
=ab(x-y)²
∵ a>0, b>0
∴ ab(x-y)²≥0 ∴ ax²+by²≥(ax+by)²

你能得出什么一般性的猜想？能证明你的猜想吗？

2. 设 $f(1)=2$，$f(n)>0(n\in \mathbf{N}_+)$，且 $f(n_1+n_2)=f(n_1)f(n_2)$，试猜出 $f(n)$ 的解析式，并证明你的猜想.

3. 命题"正三角形内任一点到三边的距离之和等于常数"，对正四面体是否有类似的结论？

(右侧手写)
a⁶+b⁶-a⁴b²-a²b⁴=a⁴(a²-b²)-b⁴(a²-b²)=(a²-b²)(a⁴-b⁴)=(a²-b²)²(a⁴+b⁴)
∵ a≠b ∴ a²-b²≠0 ∴ (a²-b²)²(a⁴+b⁴)>0

4. 对于演绎推理的四种基本规则各举一例加以说明.

5. 如果 a，b 都是正数，且 $a\neq b$，求证：
$$a^6+b^6>a^4b^2+a^2b^4.$$

6. 已知 a，b 都是正数，x，$y\in \mathbf{R}$，且 $a+b=1$，求证：
$$ax^2+by^2\geq(ax+by)^2.$$

7. 设二次函数 $f(x)=ax^2+bx+c(a\neq0)$ 中的 a，b，c 均为奇数，求证：方程 $f(x)=0$ 无整数根.

8. 已知函数 $f(x)$ 对其定义域内任意两个实数 a，b，当 $a<b$ 时，都有 $f(a)<f(b)$，试用反证法证明：函数图象与 x 轴至多有一个交点.

Ⅳ 自测与评估

1. 计算：$\sqrt{2+\dfrac{2}{3}}$，$\sqrt{3+\dfrac{3}{8}}$，$\sqrt{4+\dfrac{4}{15}}$，$\sqrt{5+\dfrac{5}{24}}$，…，由此你能得出什么猜想？证明你的猜想.

2. 已知 a，b，c 是不全相等的正数，求证：
$$a(b^2+c^2)+b(c^2+a^2)+c(a^2+b^2)>6abc.$$

3. 已知 $x_1\cdot x_2\cdot x_3\cdot\cdots\cdot x_n=1$，且 x_1，x_2，…，x_n 都是正数，求证：
$$(1+x_1)(1+x_2)\cdots(1+x_n)\geq2^n.$$

4. 求证：
$$\lg\frac{|A|+|B|}{2}\geq\frac{\lg|A|+\lg|B|}{2}，其中 A\neq0，B\neq0.$$

5. 设 a，b 为实数，且 $|a|+|b|<1$，求证：方程
$$x^2+ax+b=0$$
的两根的绝对值都小于 1.

(底部手写)

6. 证明：要证原式，只需证
ax²+by²≥a²x²+b²y²+2abxy
即 (a-a²)x²+(b-b²)y²≥2abxy
即 a(1-a)x²+b(1-b)y²≥2abxy
∵ a+b=1
只需要证 abx²+aby²≥2abxy
∵ a>0 b>0
∴ x²+y²≥2xy
显然成立

8. 证明：设少有两个点
(x₁,0)(x₂,0)(x₃,0),…,(xₙ,0)
且 x₁>x₂>x₃>…>xₙ
f(x₁)=0 f(x₂)=0 f(xₙ)=0
但当 a<b时，f(a)<f(b)矛盾
∴ 假设不成立 命题成立
原

《原本》与公理化思想

欧几里得

　　《原本》是古希腊数学家欧几里得（Euclid，约前330—前275）用公理建立起来的演绎体系的最早典范．在此之前，人们所积累下来的数学知识是片断的、零散的．欧几里得借助于逻辑方法，把这些知识组织起来，整理在一个比较严格的演绎体系之中．《原本》的出现对整个数学的发展产生了深远的影响，现代数学和各门科学中广泛使用的公理化方法就是从《原本》发展而来的．

　　《原本》共分13卷，其中第1卷首先给出23个定义、5个公设和5条公理，近代数学不分公设与公理，凡是基本假定都叫做公理．《原本》后面各卷不再列出公理．这一卷在给出的定义、公设和公理的基础上利用逻辑推理证明了48个命题．其余各卷与第1卷类似，首先给出定义，之后是命题的证明．欧几里得从119个定义、5个公设和5条公理出发，推出了465个命题．

　　《原本》中所体现的从尽可能少的基本概念和尽可能少的不加证明的公设和公理出发，应用逻辑推理，推导出其他命题，以使数学知识系统化的思想（或方法），就是公理化思想（或方法）．一个公理化系统（如欧氏几何、非欧几何、自然数系统、牛顿力学，乃至政治经济学领域的马克思"资本论"等）的基本结构是：不加定义的原始对象—定义—公理，由前三款推出其他定理．

　　但在《原本》面世后，人们就感到欧氏的第5公设（平行公设）不像一条公理，而像一条定理，人们试图用欧氏的其他公设去证明平行公理，但都无功而返．19世纪，三位伟大的数学家罗巴切夫斯基（N. I Lobachevsky，1792—1856）、高斯（C. F Gauss，1777—1855）和波约（J. Bolyai，1802—1860)独立得到结论：平行公理是不可证明的，否定或者肯定平行公理都可以建立一套几何体系，从而引发了数学的一次深刻革命．年轻的俄国数学家罗巴切夫斯基保留其他公设去掉第五公设，引入了一个与第五公设完全相反的公设：过平面内已知直线外的一点至少可以引出两条直线与该已知直线平行．在此基础上，罗巴切夫斯基构造出了一种全新的几何体系．1854年数学家黎曼（G. F. B Riemann，1826—1866）又发表了一种与《原本》不同的几何体系，他用"平面上任意两条直线都相交"取代平行公设．从此非欧几何开始被人们所承认．非欧几何的建立使人们对数学的本质有了崭新的认识．

　　1899年希尔伯特《几何基础》一书发表，公理化方法进入到了完全形式化的阶段，形式化的公理化方法得到了全面的发展，并进入了数学领域的各个分支．同时，希尔伯特提出了将数学全盘公理化的计划，使各门数学成为一个以公理为基础的完备的理论系统．1931年，奥地利数学家哥德尔（K. Gödel，1906—1978）严格证明了不完备性定理. 大意是说, 任何一个理论系统, 都存在不可判断的命题, 同时系统的无矛盾性不可能在本系统获得证明, 哥德尔的结论彻底摧毁了希尔伯特的计划, 断绝了企图证明任何一个系统内部无矛盾的全部希望. 这使人们对公理化方法的认识提高到一个新的阶段, 公理化方法和其他思想方法一样都有局限性.

数学证明的机械化——机器证明

机器证明是用机器证明数学命题, 也称为机械证明或自动证明. 电子计算机 (电脑) 具有推理的某些功能. 机器证明是人工智能领域研究的重要课题. 从传统的手工证明发展到机器证明, 是数学思想方法的重大飞跃.

德国数学家希尔伯特在 1899 年出版的《几何基础》中指出, 初等几何中只涉及从属于平行关系的定理可以实现证明的机械化. 1950 年, 波兰数理逻辑学家塔尔斯基进一步从理论上证明, 初等代数和初等几何的定理可以实现证明的机械化.

20 世纪初完善的数理逻辑为机器证明提供了理论和方法. 1956 年纽厄尔、西蒙等人建立了机器证明定理的启发式搜索法, 编制了一个"逻辑理论家"程序, 用计算机证明了罗素的名著《数学原理》第二章的所有定理. 人们认为这是机器证明的开端. 50 年代末美籍华人王浩发明了"王浩算法", 把机器证明过程规则化, 1959 年, 他只用了 9 分钟的机器时间, 就在计算机上证明了罗素等著的《数学原理》中的几百条定理, 引起数学界的轰动.

1977 年, 我国数学家吴文俊发表了题为"初等几何判定问题与机械化证明"的论文, 提出了一个证明等式型初等几何定理的新的代数方法. 这个方法虽然不能证明几何不等式, 但在证明等式型几何定理时的效率比以前的方法高得多.

国际上把这个方法叫做吴方法 (Wu Method), 吴方法在国际自动推理研究领域广为传播, 为机器证明的发展作出了巨大的贡献.

吴方法分为三个主要步骤:

第一步, 从几何的公理系统出发, 引进数系统与坐标系统, 使任意几何定理的证明问题成为纯代数问题;

第二步, 将几何定理假设部分的代数关系式进行整理, 然后依据确定步骤验证定理终结部分的代数关系式是否可以从假设部分已整理有序的代数关系式中推出;

第三步, 依据第二步中的确定步骤编成程序, 并在计算机上实施, 以得出定理是否成立的最后结论.

人们注意到, 机械化证明不可能完全取代人工证明. 更何况人工证明是提高人们思维能力的重要手段.

第三章　数系的扩充与复数的引入

3.1　数系的扩充与复数的引入

3.2　复数的运算

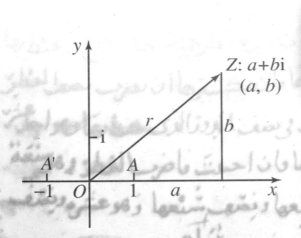

从 16 世纪开始,解高于一次方程的需要导致复数的形成.高斯把复数和平面上的点一一对应,引进了"复数"这个名词.现在复数已成为科学技术中普遍应用的一种数学工具.

同学们，你以前遇到过像 $x^2=-1$ 这样的方程求解的问题吗？根据以往的数学知识，你一定会说它在实数范围内无解，因为任何一个实数的平方都大于或者等于 0. 自然我们会想，有没有不是实数的数存在？这个方程在实数范围外有解吗？本章的学习就是要来解决这样的问题.

回顾数的发展史，数的概念的发展与解方程和数的运算法则有着密切的联系. 例如解方程 $3x=2$ 时，由于除法在自然数集中不是总能进行，因而它在自然数集里无解，但在有理数集中有解. 同样，方程 $x^2=2$ 在有理数集中无解，但在实数集中有解. 由于数的运算法则、方程求根的需要促使数的概念由自然数扩充到整数，再扩充到有理数，又由有理数扩充到实数. 在数学发展的历史中，数系的每一次扩充都给数学解决实际问题提供了新的工具，并标志着数学发展的巨大飞跃.

数集扩充到实数集后，由于负数在实数集中没有平方根，因而类似 $x^2=-1$ 这样的方程在实数集中是无解的，为了解这样的方程，人们引进了复数. 现在复数已是研究数学、力学和电学的常用的数学工具.

人们在数物体个数时，逐渐产生了自然数

$$1，2，3，\cdots，10，11，\cdots，$$

后来人们把表示"没有"的 0 也归入自然数，形成了自然数集．自然数也就是人们用来数物体个数的符号．

结绳计数

1 是自然数的记数单位．从 0 开始逐次加 1，可以得到任意一个自然数．对任意一自然数 a，$a+1$ 又是一个新的自然数．因此自然数的个数是无限的．

人们在计数时为了把两类物品的数目合并起来，引入了自然数的加法．例如

$$2+4=2+\underbrace{1+1+1+1}_{4\text{个}}=6.$$

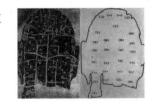

自然数的加法运算满足交换律、结合律．上面式子中的加 4 运算，也就是 4 次加 1 运算的简写．

在进行相同加数运算时，人们引入了乘法运算，例如

$$3\times6=3+3+3+3+3+3=18.$$

殷墟甲骨上的数字

这就是说，乘法运算不过是加法运算的简写．

自然数的乘法运算也满足交换律、结合律，并且满足对加法的分配律．

任意两个自然数相加、相乘所得的和或积仍然是一个自然数．

我们知道，减法是加法的逆运算．例如，求 $5-3$ 的值，也就是求一个数 x，使

$$3+x=5.$$

依照加法运算可知，这个数是 2，即 $5-3=2$．

在自然数集中，减法不是总能进行的．做减法运算被减数必须大于或者等于减数．

如果被减数小于减数，我们如何做减法运算呢？例如，某人身上有 2 元钱，买东西要用 5 元钱，买完这件东西后，这个人身上还剩多少元钱呢？显然，这个人不仅没有剩余，如果商家让他把东西拿走，他应欠商家 3 元钱．如何表示欠 3 元钱呢？在数学中，用 -3 元表示欠 3 元．这个过程可以写成算式

$$2-5=-3(\text{元}).$$

由于实际生产、生活的需要，人们又引进了负数，这样就把数系扩充到整数集．在整数集中，减法运算就总是能进行，像 $x+5=2$ 这样的方程就能求解．

两个整数相加、相减、相乘的结果仍然是整数．自然数扩充到整数后，整数的运算满

足自然数的运算律.

我们还知道,除法是乘法的逆运算. 例如,求 $15\div3$ 的值,也就是求一个数 x,使
$$3x=15.$$
依照乘法运算,这个数是 5,即 $15\div3=5$.

在整数集中,除法不是总能进行的. 我们知道 $2\div3$,它的商不可能是任何整数,因此,方程 $3x=2$ 在整数集中无解. 为了解决这个问题,人们创造了分数. 办法是,把单位 1 平均分成相等的 3 份(图 3-1),每份记作 $\frac{1}{3}$. 这样 2 中就有 6 个 $\frac{1}{3}$,分成 3 份,每份就是 2 个 $\frac{1}{3}$,记作 $\frac{2}{3}$. $\frac{2}{3}$ 就是以 $\frac{1}{3}$ 为单位的数. 于是 $2\div3=\frac{2}{3}$.

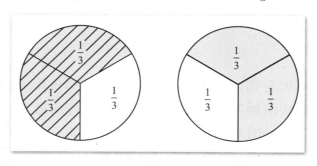

图 3-1

一般地,对于两个任意的整数 $a(a\neq0)$,b,形如 $\frac{b}{a}$ 的数叫做分数. 分数 $\frac{b}{a}$ 的度量单位是 $\frac{1}{a}$,$\frac{b}{a}$ 等于 b 个 $\frac{1}{a}$. 这样在分数运算中,只要除数不为 0,除法就总能进行下去.

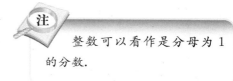

注　整数可以看作是分母为 1 的分数.

引进了分数后,数系就扩充到了有理数集.

两个有理数相加、相减、相乘、相除的结果仍然是有理数. 从整数扩充到有理数后,有理数的运算同样满足整数的运算律.

任何一个有理数都可以写成两个整数之比的形式,因此有理数集实际上就是分数集.

但是并不是所有的数都能写成分数的形式. 由勾股定理知道,边长为 1 的正方形对角线的长等于 $\sqrt{2}$(图 3-2). 我们在上一章"推理与证明"中已经证明,$\sqrt{2}$ 不能写成分数的形式,即不存在两个非零整数 a,b,使
$$\sqrt{2}=\frac{b}{a}.$$

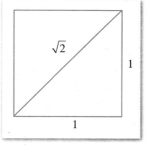

图 3-2

像 $\sqrt{2}$、圆周率 π 和 $-\sqrt{5}$ 等这样的数都不能用分数表示出来,它们的全体叫做无理数集. 虽然每一个无理数不能表示为分数,但它们都可以用分数或者小数近似地表示出来,并且可以达到任意精确的程度. 例如
$$1.4,\ 1.41,\ 1.414,\ 1.414\,1,\ \cdots$$

都可以作为 $\sqrt{2}$ 的不足近似值.

　　引进了无理数后，数系就从有理数扩大到包括有理数和无理数的实数系.

　　两个实数进行四则运算的结果仍是实数，实数的运算同样满足有理数的运算律. 而且全体实数可以和一条有方向的直线（数轴）上的点建立一一对应关系（图 3-3）. 也就是说，实数所对应的点充满了整个数轴而没有任何空隙.

巴比伦楔形文字泥板中 $\sqrt{2}$ 的数值

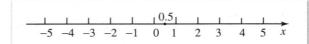

图 3-3

　　从数系扩充的过程可以看到，数系的每一次扩大，都与数的运算无法进行、方程无法求解等数学问题相联系，并且为解决实际问题提供了新的工具. 旧数系是扩大后的新数系的一部分（图 3-4），在新数系中依旧保持着旧数系中的基本性质和运算规律.

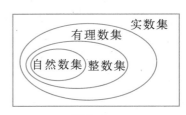

图 3-4

练习A

1. 根据本节学习的内容对实数进行分类.
2. 实数运算有哪些基本性质？
3. 什么是数轴，数轴上的点与实数有怎样的对应关系？

练习B

通过查找资料，了解数系扩充的历史过程.

3.1.2 复数的引入

1. 复数系

我们知道，方程 $x^2 - 2 = 0$ 在有理数中没有解，但当把数的范围扩充到实数系以后，这个二次方程有两个解：$x = \pm\sqrt{2}$.

我们知道一元二次方程 $x^2 = -1$ 在实数范围内无解，原因是任何实数的平方都不可能是负数. 为了解这样的方程，人们引进了一个新数，当时人们认为这个新数是一个"虚幻"的数，便以"虚数"（imaginary number）命名，并以英文名称的字首 i 表示. 虚数 i 满足 $i^2 = -1$.

设 a，b 都是实数，形如 $a + bi$ 的数叫做**复数**. 把复数表示成 $a + bi$ 的形式，叫做复数的**代数形式**. 复数通常用小写字母 z 表示，即 $z = a + bi$（a，$b \in \mathbf{R}$），其中 a 叫做复数的**实部**，b 叫做复数的**虚部**，i 叫做**虚数单位**.

例如，$3 + 4i$ 是复数，实部是 3，虚部是 4；$-0.5i$ 是复数，实部是 0，虚部是 -0.5；3 是复数，实部是 3，虚部是 0.

显然，当 $b = 0$ 时，复数就成为实数；除了实数以外的数，即当 $b \neq 0$ 时，$a + bi$ 叫做**虚数**. 而当 $b \neq 0$ 且 $a = 0$ 时，bi 叫做**纯虚数**.

例如，$3 + 4i$，$-0.5i$ 都是虚数；而 $3i$，$-0.5i$ 都是纯虚数. $0 + 0i$ 表示数 0.

全体复数所构成的集合叫做**复数集**. 复数集通常用大写字母 $\mathbf{C}$ 表示，即

$$\mathbf{C} = \{z \mid z = a + bi,\ a \in \mathbf{R},\ b \in \mathbf{R}\}.$$

显然，实数集 $\mathbf{R}$ 是复数集 $\mathbf{C}$ 的真子集，即 $\mathbf{R} \subsetneqq \mathbf{C}$.

因此，复数 $z = a + bi$ 可以这样分类：

$$复数\ z \begin{cases} 实数(b = 0) \\ 虚数(b \neq 0) \end{cases}$$

这样，数系就由实数系扩充到了复数系.

例1 实数 x 取何值时，复数 $z = (x - 2) + (x + 3)i$：(1) 是实数？(2) 是虚数？(3) 是纯虚数？

分析：因为 x 是实数，所以 $x - 2$，$x + 3$ 也是实数. 由复数 $z = a + bi$ 是实数、虚数和纯虚数的条件可以确定 x 的值.

解：(1) 当 $x + 3 = 0$，即 $x = -3$ 时，复数 z 是实数；

(2) 当 $x + 3 \neq 0$，即 $x \neq -3$ 时，复数 z 是虚数；

(3) 当 $x - 2 = 0$，且 $x + 3 \neq 0$ 时，即 $x = 2$ 时，复数 z 是纯虚数.

如果两个复数 $a + bi$ 与 $c + di$ 的实部与虚部分别相等，我们就说这两个**复数相等**记作

$$a + bi = c + di.$$

这就是说，如果 a，b，c，d 都是实数，那么

$$a+bi=c+di \Leftrightarrow a=c，且 b=d；$$
$$a+bi=0 \Leftrightarrow a=0，且 b=0.$$

应该注意，两个实数可以比较大小，但两个复数，如果不全是实数，它们之间就不能比较大小，只能说相等或不相等．例如，$2+i$ 和 $3-i$，3 和 i 之间就无大小可言．

例2 求适合下列方程的 x 和 $y(x，y \in \mathbf{R})$ 的值：

(1) $(x+2y)-i=6x+(x-y)i$；

(2) $(x+y+1)-(x-y+2)i=0$.

解：(1) 根据复数相等的定义，得

$$\begin{cases} x+2y=6x \\ -1=x-y \end{cases}$$

解这个方程组，得

$$x=\frac{2}{3}，y=\frac{5}{3}；$$

(2) 由复数等于零的充要条件，得

$$\begin{cases} x+y+1=0 \\ -(x-y+2)=0 \end{cases}$$

解这个方程组，得

$$x=-\frac{3}{2}，y=\frac{1}{2}.$$

2. 复数的几何意义

根据复数相等的定义，复数 $z=a+bi$ 被一个有序实数对 $(a，b)$ 所唯一确定，而每一个有序实数对 $(a，b)$，在平面直角坐标系中又唯一确定一点 $Z(a，b)$（或一个向量 $\overrightarrow{OZ}$）．这就是说，每一个复数，对应着平面直角坐标系中唯一的一个点（或一个向量）；反过来，平面直角坐标系中每一个点（或每一个向量），也对应着唯一的一个有序实数对．这样我们通过有序实数对，可以建立复数 $Z=a+bi$ 和点 $Z(a，b)$（或向量 $\overrightarrow{OZ}$）之间的一一对应关系．点 $Z(a，b)$ 或向量 $\overrightarrow{OZ}$ 是复数 z 的几何表示（图 3-5）．

复数 $Z=a+bi \xleftarrow{\text{一一对应}}$ 有序实数对 $(a，b) \xleftarrow{\text{一一对应}}$ 点 $Z(a，b)$.

建立了直角坐标系来表示复数的平面叫做**复平面**．在复平面内，x 轴叫做**实轴**，y 轴叫做**虚轴**．x 轴的单位是 1，y 轴的单位是 i．

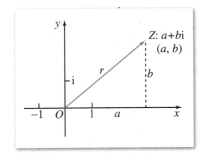

图 3-5

显然，实轴上的点都表示实数；除原点以外，虚轴上的点都表示纯虚数．即任意一个实数 a 与 x 轴上的点 $(a，0)$ 一一对应，任意一个纯虚数 $bi(b \neq 0)$ 与 y 轴上的点 $(0，b)$ 一一对应．

例如，复平面内的原点 $(0，0)$ 表示实数 0，实轴上的点 $(3，0)$ 表示实数 3，虚轴上的点 $(0，-2)$ 表示纯虚数 $-2i$，点 $(5，-4)$ 表示复数 $5-4i$.

例1 (1) 写出图 3-6(1)中的各点表示的复数;

(2) 在复平面内,作出表示下列复数的点和向量:$3-i$, $4+i$, 7, i, $6-4i$, $-1+4i$.

解:(1) O:0,A:$3+4i$,B:$2+i$,C:$-5+i$,D:$-1-i$;

(2) 如图 3-6(2)所示,A:$3-i$,B:$4+i$,C:7,D:i,E:$6-4i$,F:$-1+4i$.

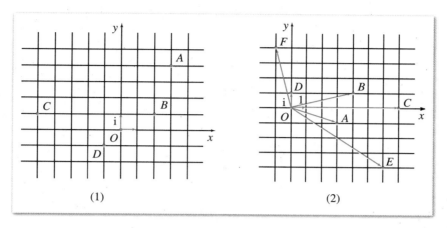

图 3-6

设 $\overrightarrow{OZ}$ 对应的复数为 $a+bi$(a,$b\in\mathbf{R}$),则向量 $\overrightarrow{OZ}$ 的长度叫做复数 $a+bi$ 的模(或绝对值),记作 $|a+bi|$. 如果 $b=0$,则 $|a+bi|=|a|$. 这表明复数绝对值是实数绝对值概念的推广. 由向量长度的计算公式得

$$|a+bi|=\sqrt{a^2+b^2}.$$

如果两个复数的实部相等,而虚部互为相反数,则这两个复数叫做互为**共轭复数**. 复数 z 的共轭复数用 $\bar{z}$ 表示. 即当 $z=a+bi$ 时,则 $\bar{z}=a-bi$. 当复数 $z=a+bi$ 的虚部 $b=0$ 时,有 $z=\bar{z}$,也就是说,任一实数的共轭复数仍是它本身.

显然,在复平面内,表示两个共轭复数的点关于实轴对称(图 3-7),并且它们的模相等.

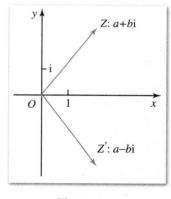

图 3-7

例2 求 $z_1=3+4i$,$z_2=\dfrac{1}{2}-\dfrac{\sqrt{3}}{2}i$ 的模和它们的共轭复数.

解:$|z_1|=\sqrt{3^2+4^2}=5$,

$$|z_2|=\sqrt{\left(\dfrac{1}{2}\right)^2+\left(-\dfrac{\sqrt{3}}{2}\right)^2}=1,$$

$\overline{z_1}=3-4i$,$\overline{z_2}=\dfrac{1}{2}+\dfrac{\sqrt{3}}{2}i$.

例3 设 $z\in\mathbf{C}$,满足下列条件的点 Z 的集合是什么图形?

(1) $|z|=2$;　　　　(2) $2\leqslant|z|\leqslant3$.

解:(1) 复数 z 的模等于 2,这表明,向量 $\overrightarrow{OZ}$ 的长度等于 2,即点 Z 到原点的距离等于 2,因此满足条件 $|z|=2$ 的点 Z 的集合是以原点 O 为圆心,以 2 为半径的圆;

（2）不等式 $2 \leqslant |z| \leqslant 3$ 可以化为不等式组

$$\begin{cases} |z| \leqslant 3 \\ |z| \geqslant 2 \end{cases}$$

不等式 $|z| \leqslant 3$ 的解集是圆 $|z|=3$ 和该圆内部所有的点构成的集合；不等式 $|z| \geqslant 2$ 的解集是圆 $|z|=2$ 和该圆外部所有的点构成的集合. 这两个集合的交集，就是上述不等式组的解集，也就是满足条件 $2 \leqslant |z| \leqslant 3$ 的点 Z 的集合. 因而，所求的集合是以原点 O 为圆心，以 2 和 3 为半径的两圆所夹的圆环，并包括圆环的边界（图 3-8）.

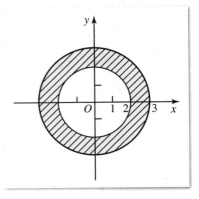

图 3-8

1. 说出下列各数中，哪些是实数？哪些是虚数？哪些是复数？

$2+\sqrt{2}$，0.618，$3i$，0，i，i^2，$5+2i$，$3-\sqrt{2}i$，$(1+\sqrt{3})i$，$2+\sqrt{2}i$.

2. 写出下列各复数的实部和虚部：

$-3+2i$，$3+7i$，$\dfrac{1}{2}+\dfrac{\sqrt{3}}{2}i$，$-8$，$-6i$.

3. 求适合下列方程的 x 和 y（$x，y \in \mathbf{R}$）的值：

（1）$(x-2y)+(2x+3y)i=3-3i$；

（2）$(3x+y+3)=(x-y-3)i$.

4. 在复平面内描出表示下列复数的点和向量：

（1）$2+5i$；　　　　　　　（2）$-3+2i$；

（3）$4i$；　　　　　　　　（4）-2.

5. 设 $z=a+bi(a，b \in \mathbf{R})$ 和复平面内的点 $Z(a，b)$ 对应，$a，b$ 必须满足什么条件，才能使点 Z 位于：

（1）实轴上？　　　　　　（2）上半平面（不包括实轴）？

（3）虚轴上？　　　　　　（4）右半平面（不包括虚轴）？

6. 求下列复数的模：

（1）$4-3i$；　　　　　　　（2）$5+12i$；

（3）$\dfrac{3}{2}-2i$；　　　　　　（4）$-1+\sqrt{2}i$.

7. 求下列复数的共轭复数，并在复平面内表示它们：

（1）$8-5i$；　　　　　　　（2）$-7i$；

（3）3；　　　　　　　　　（4）$-3-3i$.

练习B

1. 试用集合包含符号表示复数集（**C**）、实数集（**R**）、有理数集（**Q**）和整数集（**Z**）之间的关系.

2. 试问实数 x 取何值时，复数 $(x^2+x-2)+(x^2+3x+2)i$ 是实数？是虚数？是纯虚数？

3. 解方程 $x^2-10x+40=0$.

4. 在复平面内描出表示下列复数的点和向量：

    (1) $z_1=\dfrac{1}{2}-\dfrac{\sqrt{2}}{2}i$;   (2) $z_2=\dfrac{1}{2}+\dfrac{\sqrt{3}}{2}i$.

5. 设 $z\in\mathbf{C}$，且满足下列条件，在复平面内，复数 z 对应的点 Z 的集合是什么图形？

    (1) $|z|=1$;   (2) $1<|z|<2$;

    (3) z 的实部大于2;   (4) z 的实部与虚部相等.

习题 3-1 A

1. 填空：

    (1) 复数集是实数集与虚数集的＿＿＿＿＿＿；

    (2) 实数集与纯虚数集的交集是＿＿＿＿＿＿；

    (3) 纯虚数集是虚数集的＿＿＿＿＿＿；

    (4) 设复数集 **C** 为全集，那么实数集的补集是＿＿＿＿＿＿.

2. 写出下列复数的实部与虚部：

    $-5+5i,\ \dfrac{\sqrt{2}}{2}-\dfrac{\sqrt{2}}{2}i,\ -\sqrt{3},\ i,\ 0$.

3. 3i 是不是正数？$-2i$ 是不是负数？

4. 在复平面内，描出表示下列复数的点：

    (1) $3+5i$;   (2) $-3+i$;   (3) $-2i$;

    (4) $1+\sqrt{2}i$;   (5) $1+i$;   (6) $3-\sqrt{3}i$.

5. 已知复数：$-1+i,\ -5-12i,\ 40+9i,\ 4i,\ -\sqrt{5}i$：

    (1) 在复平面内，作出与各复数对应的向量；

    (2) 求各复数的绝对值；

    (3) 求各复数的共轭复数，并作出与这些共轭复数对应的向量.

6. 求适合下列各方程的实数 x 和 y 的值：

(1) $(3x+2y)+(5x-y)i=17-2i$；

(2) $(3x-4)+(2y+3)i=0$；

(3) $(x+y)-xyi=-5+24i$.

7. 已知 $|x+yi|=1$，其中 x,y 均为实数，在复平面内，求表示复数 $x+yi$ 的点的集合.

8. 设 $z\in\mathbf{C}$，满足下列条件的点 Z 的集合是什么图形?

    (1) $|z|=5$；   (2) $|z|\geqslant1$；   (3) $|z|<1$；   (4) $2\leqslant|z|\leqslant5$.

习题 3-1 **B**

1. 已知复数 $z=\dfrac{n-4}{m^2-3m-4}+(n^2+3n-4)i$：

    (1) m,n 取什么整数值时，z 是纯虚数?

    (2) m,n 取什么整数值时，z 是实数?

2. 设 $z=a+bi(a,b\in\mathbf{R})$，满足下列条件的点 Z 的集合是什么图形?

    (1) $0<b<2$；   (2) $a>0$，$b>0$，$a^2+b^2<16$.

3. 求方程 $2x^2-5x+2+(x^2-x-2)i=0$ 中的实数 x 的值.

建立了复数的概念以后，很重要的一个问题就是建立复数集里的各种运算．由于实数是复数的一部分，在建立复数运算时，应当遵循的一个原则是作为复数的实数，在复数集里运算时和在实数集里的运算应当是一致的．

3.2.1　复数的加法和减法

设 $z_1=a+bi$，$z_2=c+di$，a，b，c，$d\in\mathbf{R}$，规定

$$z_1+z_2=(a+bi)+(c+di)=(a+c)+(b+d)i.$$

显然，两个复数的和仍然是复数．

容易证明，复数的加法运算满足交换律、结合律，即对任意复数 z_1，z_2，z_3，有

$$z_1+z_2=z_2+z_1,$$
$$(z_1+z_2)+z_3=z_1+(z_2+z_3).$$

已知复数 $a+bi$，根据加法的定义，存在唯一的复数 $-a-bi$，使

$$(a+bi)+(-a-bi)=0.$$

$-a-bi$ 叫做 $a+bi$ 的**相反数**．根据相反数的概念，我们规定两个复数的减法法则如下

$$(a+bi)-(c+di)=(a+bi)+(-c-di)$$
$$=(a-c)+(b-d)i,$$

即

$$(a+bi)-(c+di)=(a-c)+(b-d)i.$$

可见，两个复数的差也是复数．

总之，**两个复数相加（减），就是把实部与实部、虚部与虚部分别相加（减）**．

例 1　已知 $z_1=3+2i$，$z_2=1-4i$，计算 z_1+z_2，z_1-z_2．

解：$z_1+z_2=(3+2i)+(1-4i)$
$$=(3+1)+(2-4)i$$
$$=4-2i;$$
$z_1-z_2=(3+2i)-(1-4i)$
$$=(3-1)+[2-(-4)]i$$
$$=2+6i.$$

例 2　计算 $(2-5i)+(3+7i)-(5+4i)$．

解：$(2-5i)+(3+7i)-(5+4i)$
$$=(2+3-5)+(-5+7-4)i$$
$$=-2i.$$

下面我们看一看复数加减法的几何意义.

前面提到，复数是可以用向量来表示的，因此复数的加减法可以利用向量的加减法来表示. 如果两个复数对应的向量共线，可以直接运算；如果两个复数对应的向量不共线，则可以按照向量的平行四边形法则来进行.

已知复数 $z_1=x_1+y_1 \mathrm{i}$，$z_2=x_2+y_2 \mathrm{i}$ 及其对应的向量（图 3-9）$\overrightarrow{OZ_1}=(x_1,y_1)$，$\overrightarrow{OZ_2}=(x_2,y_2)$，且 $\overrightarrow{OZ_1}$ 和 $\overrightarrow{OZ_2}$ 不共线，以 OZ_1 和 OZ_2 为两条邻边作平行四边形 OZ_1ZZ_2，根据向量的加法法则，对角线 OZ 所表示的向量 $\overrightarrow{OZ}=\overrightarrow{OZ_1}+\overrightarrow{OZ_2}$，而 $\overrightarrow{OZ_1}+\overrightarrow{OZ_2}$ 所对应的坐标是 (x_1+x_2,y_1+y_2)，这正是两个复数之和 z_1+z_2 所对应的有序实数对. 因此复数加法的几何意义就是向量加法的平行四边形法则. 类似地，向量 $\overrightarrow{Z_2Z_1}$ 对应两个复数的差 z_1-z_2，作 $\overrightarrow{OZ'}=\overrightarrow{Z_2Z_1}$，则点 Z' 也对应复数 z_1-z_2.

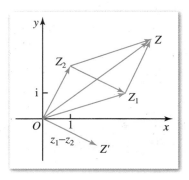

图 3-9

1. 计算：
   (1) $(4+3\mathrm{i})+(5+7\mathrm{i})$；
   (2) $(-5+\mathrm{i})+(3-2\mathrm{i})$；
   (3) $(3+2\mathrm{i})+(-3-2\mathrm{i})$；
   (4) $0+5-4\mathrm{i}$.

2. 计算：
   (1) $(4+5\mathrm{i})-(3+2\mathrm{i})$；
   (2) $(-3+2\mathrm{i})-(4-5\mathrm{i})$；
   (3) $(-3+2\mathrm{i})-(5-\mathrm{i})+(4+7\mathrm{i})$；
   (4) $(1+\mathrm{i})-(1-\mathrm{i})-(5-4\mathrm{i})+(-3+7\mathrm{i})$.

3. 举例说明两个共轭复数的差，或者是实数，或者是纯虚数.

1. 通过几何作图，求两个复数和对应的向量，再用计算加以验证：
   (1) $z_1=2+\mathrm{i}$，$z_2=-1+3\mathrm{i}$；
   (2) $z_1=1+2\mathrm{i}$，$z_2=-1-3\mathrm{i}$.

2. 通过几何作图，求两个复数差对应的向量，再用计算加以验证：
   (1) $z_1=5+3\mathrm{i}$，$z_2=-1+4\mathrm{i}$；
   (2) $z_1=-3\mathrm{i}$，$z_2=-3+\mathrm{i}$.

3. 已知 $z_1=5+3\mathrm{i}$，$z_2=-1+4\mathrm{i}$，$z_3=-4+\mathrm{i}$，通过几何作图，求 $z_1+z_2-z_3$ 对应的向量，再用计算加以验证.

3.2.2 复数的乘法和除法

1. 复数的乘法

两个复数的乘法可以按照多项式的乘法运算来进行，只是在遇到 i^2 时，要把 i^2 换成 -1，并把最后的结果写成 $a+bi$（a，$b \in \mathbf{R}$）的形式.

设 $z_1 = a+bi$，$z_2 = c+di$，a，b，c，$d \in \mathbf{R}$，则

$$z_1 z_2 = (a+bi)(c+di)$$
$$= ac+adi+bci+bdi^2$$
$$= (ac-bd)+(ad+bc)i.$$

显然，两个复数的积仍为复数.

容易验证，复数的乘法运算满足交换律、结合律和乘法对加法的分配律，即对任意复数 z_1，z_2，z_3，有

$$z_1 \cdot z_2 = z_2 \cdot z_1,$$
$$(z_1 \cdot z_2) \cdot z_3 = z_1 \cdot (z_2 \cdot z_3),$$
$$z_1 \cdot (z_2+z_3) = z_1 \cdot z_2 + z_1 \cdot z_3.$$

例 1 已知 $z_1 = 2+i$，$z_2 = 3-4i$，计算 $z_1 \cdot z_2$.

解：$z_1 \cdot z_2 = (2+i)(3-4i)$
$$= 6-8i+3i-4i^2$$
$$= 10-5i.$$

例 2 求证：（1）$z \cdot \bar{z} = |z|^2 = |\bar{z}|^2$；（2）$\overline{z^2} = (\bar{z})^2$；（3）$\overline{z_1 \cdot z_2} = \bar{z_1} \cdot \bar{z_2}$.

证明：（1）设 $z = a+bi$，则 $\bar{z} = a-bi$，于是

$$z \cdot \bar{z} = (a+bi)(a-bi)$$
$$= a^2-abi+bai-b^2i^2$$
$$= a^2+b^2$$
$$= |z|^2 = |\bar{z}|^2;$$

（2）设 $z = a+bi$，则

$$z^2 = (a+bi)^2 = a^2-b^2+2abi,$$
$$(\bar{z})^2 = (a-bi)^2 = a^2-b^2-2abi,$$

于是

$$\overline{z^2} = (\bar{z})^2;$$

（3）设 $z_1 = a+bi$，$z_2 = c+di$，则

$$\overline{z_1 \cdot z_2} = \overline{(ac-bd)+(ad+bc)i} = (ac-bd)-(ad+bc)i,$$
$$\bar{z_1} \cdot \bar{z_2} = (a-bi) \cdot (c-di) = (ac-bd)-(ad+bc)i,$$

于是

$$\overline{z_1 \cdot z_2} = \bar{z_1} \cdot \bar{z_2}.$$

例2表明，两个互为共轭复数的乘积等于这个复数（或其共轭复数）模的平方.

复数的乘方也就是相同复数的乘积. 根据乘法的运算律，实数范围内正整指数幂的运算律在复数范围内仍然成立，即对复数 z，z_1，z_2 和自然数 m，n，有

$$z^m \cdot z^n = z^{m+n},$$
$$(z^m)^n = z^{mn},$$
$$(z_1 \cdot z_2)^n = z_1^n \cdot z_2^n.$$

此外，实数范围内的乘法公式在复数范围内仍然成立.

 探索与研究

在复数的乘方运算中，经常要计算 i 的方幂，你能根据以下结果

$$i^1 = i, \quad i^2 = -1, \quad i^3 = -i, \quad i^4 = 1,$$

得出 i^{4n+1}，i^{4n+2}，i^{4n+3}，i^{4n} 的值吗？

例3　计算 $(1-\sqrt{2}i)^2$.

解：
$$\begin{aligned}
(1-\sqrt{2}i)^2 &= 1^2 - 2 \times 1 \times \sqrt{2}i + (\sqrt{2}i)^2 \\
&= 1 - 2\sqrt{2}i + (\sqrt{2})^2 i^2 \\
&= 1 - 2\sqrt{2}i + 2 \times (-1) \\
&= -1 - 2\sqrt{2}i.
\end{aligned}$$

2. 复数的除法

已知 $z = a + bi$，如果存在一个复数 z'，使

$$z \cdot z' = 1,$$

则 z' 叫做 z 的倒数，记作 $\dfrac{1}{z}$. 设 $\dfrac{1}{z} = x + yi$，则

$$(a+bi)(x+yi) = 1,$$

两边同乘 $(a-bi)$，得

$$(a-bi)(a+bi)(x+yi) = a-bi,$$
$$(a^2+b^2)(x+yi) = a-bi.$$

因此 $x+yi = \dfrac{a-bi}{a^2+b^2} = \dfrac{a}{a^2+b^2} - \dfrac{b}{a^2+b^2}i$，即

$$\frac{1}{z} = \frac{a}{a^2+b^2} - \frac{b}{a^2+b^2}i.$$

显然，$\dfrac{1}{z} = \dfrac{\bar{z}}{|z|^2}$.

有了倒数的概念，我们就可以规定两个复数除法的运算法则如下

$$(a+b\mathrm{i})\div(c+d\mathrm{i})=\frac{a+b\mathrm{i}}{c+d\mathrm{i}}=(a+b\mathrm{i})\left(\frac{1}{c+d\mathrm{i}}\right)$$

$$=(a+b\mathrm{i})\frac{c-d\mathrm{i}}{c^2+d^2}$$

$$=\frac{(ac+bd)+(bc-ad)\mathrm{i}}{c^2+d^2}$$

$$=\frac{ac+bd}{c^2+d^2}+\frac{bc-ad}{c^2+d^2}\mathrm{i}.$$

上述复数除法的运算法则不必死记. 在实际运算时，我们把商 $\dfrac{a+b\mathrm{i}}{c+d\mathrm{i}}$ 看作分数，分子、分母同乘以分母的共轭复数 $c-d\mathrm{i}$，把分母变为实数，化简后，就可以得到运算结果，即

$$\frac{a+b\mathrm{i}}{c+d\mathrm{i}}=\frac{(a+b\mathrm{i})(c-d\mathrm{i})}{(c+d\mathrm{i})(c-d\mathrm{i})}$$

$$=\frac{(ac+bd)+(bc-ad)\mathrm{i}}{c^2+d^2}$$

$$=\frac{ac+bd}{c^2+d^2}+\frac{bc-ad}{c^2+d^2}\mathrm{i}.$$

例 1 计算 $(1+2\mathrm{i})\div(3-4\mathrm{i})$.

解：$(1+2\mathrm{i})\div(3-4\mathrm{i})=\dfrac{1+2\mathrm{i}}{3-4\mathrm{i}}=\dfrac{(1+2\mathrm{i})(3+4\mathrm{i})}{(3-4\mathrm{i})(3+4\mathrm{i})}$

$$=\frac{-5+10\mathrm{i}}{25}=-\frac{1}{5}+\frac{2}{5}\mathrm{i}.$$

例 2 计算 $\left(\dfrac{1+\mathrm{i}}{1-\mathrm{i}}\right)^8$.

解：$\left(\dfrac{1+\mathrm{i}}{1-\mathrm{i}}\right)^8=\left[\dfrac{(1+\mathrm{i})^2}{(1-\mathrm{i})(1+\mathrm{i})}\right]^8=\left(\dfrac{2\mathrm{i}}{2}\right)^8=\mathrm{i}^8=1.$

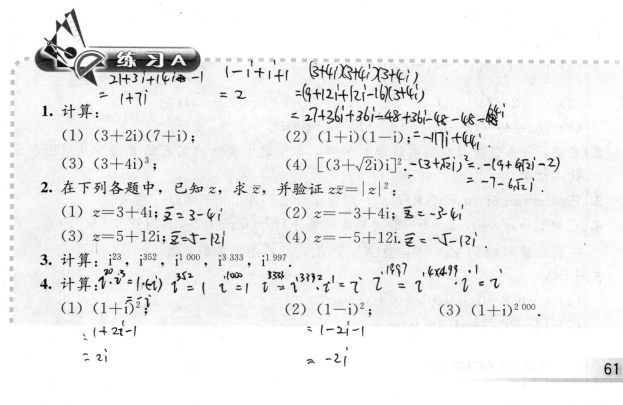

练习 A

1. 计算：

    (1) $(3+2\mathrm{i})(7+\mathrm{i})$；

    (2) $(1+\mathrm{i})(1-\mathrm{i})$；

    (3) $(3+4\mathrm{i})^3$；

    (4) $[(3+\sqrt{2}\mathrm{i})\mathrm{i}]^2$.

2. 在下列各题中，已知 z，求 $\bar{z}$，并验证 $z\bar{z}=|z|^2$：

    (1) $z=3+4\mathrm{i}$；

    (2) $z=-3+4\mathrm{i}$；

    (3) $z=5+12\mathrm{i}$；

    (4) $z=-5+12\mathrm{i}$.

3. 计算：i^{23}，i^{352}，$\mathrm{i}^{1\,000}$，$\mathrm{i}^{3\,333}$，$\mathrm{i}^{1\,997}$.

4. 计算：

    (1) $(1+\mathrm{i})^2$；

    (2) $(1-\mathrm{i})^2$；

    (3) $(1+\mathrm{i})^{2\,000}$.

5. 计算：

(1) $\dfrac{2+i}{7+4i}$；　　(2) $\dfrac{2-i}{4-i}$；　　(3) $\dfrac{2i}{1-i}$；

(4) $\dfrac{1}{\sqrt{2}i}$；　　(5) $\dfrac{1}{i}$；　　(6) $\dfrac{1}{1+i}$.

 练习B

1. 计算：$\left(\dfrac{-1+\sqrt{3}i}{2}\right)^3 + \left(\dfrac{-1-\sqrt{3}i}{2}\right)^3$.

2. 设复数 $x=z$ 是实系数方程 $ax^2+bx+c=0$ 的虚根，证明 $x=\bar{z}$ 也是该方程的根.

*3. 设 $\omega = \dfrac{-1+\sqrt{3}i}{2}$，探求 ω^n（n 为大于 1 的整数）的值.

4. 计算：$\dfrac{1}{(1+i)^2} + \dfrac{1}{(1-i)^2}$.

5. $\dfrac{1}{z} + \dfrac{1}{\bar{z}}$ 是实数吗？

习题 3-2 A

1. 计算：

(1) $\left(\dfrac{2}{3}+i\right) + \left(1-\dfrac{2}{3}i\right) - \left(\dfrac{1}{2}+\dfrac{3}{4}i\right)$；

(2) $(-\sqrt{2}+\sqrt{3}i) - [(\sqrt{3}-\sqrt{2}) + (\sqrt{3}+\sqrt{2})i] + (-\sqrt{2}i+\sqrt{3})$；

(3) $[(a+b)+(a-b)i] - [(a-b)-(a+b)i]$.

2. 求证：一个复数与它的共轭复数的和，等于这个复数的实部的 2 倍. 并用图表示这一结果.

3. 已知 $z=a+bi$（$a, b \in \mathbf{R}$），$|z-\bar{z}|$ 等于什么？并用图表示这一结果.

4. 已知 $z_1=-3+i$，$z_2=5-3i$ 对应的向量分别为 $\overrightarrow{OZ_1}$ 和 $\overrightarrow{OZ_2}$，以 OZ_1，OZ_2 为邻边作平行四边形 OZ_1CZ_2，求向量 $\overrightarrow{OC}$，$\overrightarrow{Z_1Z_2}$，$\overrightarrow{Z_2Z_1}$ 所对应的复数.

5. 计算：

(1) $(-0.2+0.3i)(0.5-0.4i)$；

(2) $(1-2i)(2+i)(3-4i)$；

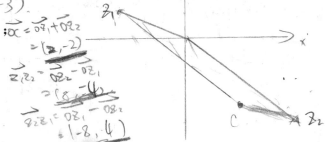

$(\sqrt{a})^2+(\sqrt{b})(i)^2=a+b$

(3) $(\sqrt{a}+\sqrt{b}i)(\sqrt{a}-\sqrt{b}i)$ （其中 $a>0$，$b>0$）；

(4) $(a+bi)(a-bi)(-a+bi)(-a-bi)$. $\quad(a^2+b^2)(a^2+b^2)=a^4+2a^2b^2+b^4$

6. 利用公式 $a^2+b^2=(a+bi)(a-bi)$，把下列各式分解成一次因式的乘积：

(1) x^2+4；$(x+2i)(x-2i)$

(2) a^4-b^4；

(3) $a^2+2ab+b^2+c^2$；$(a+b)^2+c^2$ $=(a+b+ci)(a+b-ci)$

(4) x^2+2x+3.

7. 计算：

(1) $(1-i)+(2-i^3)+(3-i^5)+(4-i^7)$；

(2) $\left(\dfrac{\sqrt{2}}{2}-\dfrac{\sqrt{2}}{2}i\right)^2$；

(3) $(a+bi)^3$.

8. 计算：

(1) $\dfrac{1}{11-5i}$；

(2) $\dfrac{7-9i}{1+i}$；

(3) $\dfrac{1-2i}{3+4i}$；

(4) $\dfrac{1+2i}{2-4i}$.

习题 3-2 B

1. 已知：z_1，$z_2\in\mathbf{C}$，求证：

(1) $\overline{z_1+z_2}=\overline{z_1}+\overline{z_2}$；

(2) $\overline{z_1-z_2}=\overline{z_1}-\overline{z_2}$；

(3) $\overline{z_1\cdot z_2}=\overline{z_1}\cdot\overline{z_2}$；

(4) $\overline{\left(\dfrac{z_1}{z_2}\right)}=\dfrac{\overline{z_1}}{\overline{z_2}}$ （$z_2\neq0$）.

2. 计算：

(1) $\dfrac{\sqrt{5}+\sqrt{3}i}{\sqrt{5}-\sqrt{3}i}-\dfrac{\sqrt{3}+\sqrt{5}i}{\sqrt{3}-\sqrt{5}i}$；

(2) $\dfrac{i-2}{1+i+\dfrac{i}{i-1}}$.

3. 已知 $z_1=5+10i$，$z_2=3-4i$，$\dfrac{1}{z}=\dfrac{1}{z_1}+\dfrac{1}{z_2}$，求 z.

4. 设 $z^2=(x+yi)^2=5-12i$ （x，$y\in\mathbf{R}$），求 z.

5. 求一个复数 z，使得 $z+\dfrac{4}{z}$ 为实数，且 $|z-2|=2$.

本 章 小 结

I 知识结构

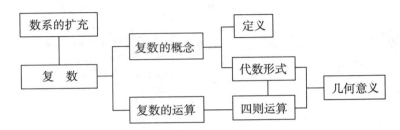

II 思考与交流

1. 虚数单位 i 的特征性质是什么？

2. 什么是复数？实数集与复数集的关系是什么？

3. 复数集中，哪些数之间能比较大小？哪些数之间不能？

4. 如何进行复数的代数形式的四则运算？

5. 什么是复平面？在复平面内，复数的几何意义是什么？

6. 什么是复数的绝对值？什么是互为共轭复数？

III 巩固与提高

1. 判断下列命题的真假：

(1) 实数不是复数；

(2) 复数集 $\mathbf{C}=\{z \mid z=a+bi, a\in\mathbf{R}, b\in\mathbf{R}\}$；

(3) $(a-2)+(b-3)i=0$ 的充要条件是 $a=2$，且 $b=3$；

(4) $\sqrt{2}i$ 是无理数；

(5) $1+\sqrt{3}i$ 不是纯虚数；

(6) 在复平面内与 y 轴同方向的单位向量对应虚数单位 i；

(7) $3+i$ 的共轭复数是 $-3-i$；

(8) 复数的绝对值等于复平面内对应这个复数的点到坐标原点的距离；

(9) 在复平面内，复数 $a+bi$ 对应的点在下半平面内（包括实轴）的充要条件是 $b<0$；

(10) $i^4+5i^2+4=0$；

(11) $z+\bar{z}=0$；

(12) $|z_1z_2|=|z_1|\cdot|z_2|$；

(13) $|z_1+z_2|=|z_1|+|z_2|$；

(14) $z\bar{z}=|\bar{z}|^2$；

(15) $a+bi$（$a\neq0$，且 $b\neq0$）的倒数是 $\dfrac{a}{a^2+b^2}-\dfrac{b}{a^2+b^2}i$；

(16) 在复平面内，$\overrightarrow{OP_1}$ 对应复数 z_1，$\overrightarrow{OP_2}$ 对应复数 z_2，则 $\overrightarrow{OP_1}+\overrightarrow{OP_2}$ 对应的复数是 z_1+z_2．

2. 填空：

(1) $|3+4i|=$_____；

(2) $(7+5i)+(4+3i)=$_____；

(3) $(2-5i)(4+3i)=$_____；

(4) $(8-5i)-(4-7i)=$_____；

(5) $(1+i)\div(1-i)=$_____；

(6) 如果 $z=-2+i$，则 $\bar{z}=$_____；

(7) 点 Z_1 对应的复数是 $4+i$，点 Z_2 对应的复数是 $-2+3i$，则线段 Z_1Z_2 的中点对应的复数是_____．

3. 已知复数 $z=x+yi$（x，$y\in\mathbf{R}$），求下列各式的实部和虚部：

(1) z^3；　　　　　　　　(2) $\dfrac{1}{z}$．

4. 指出下列关于 z 的方程在复平面上是什么图形：

(1) $|z-3|=|z+i|$；　　　　(2) $|z+2i|+|z-2i|=6$．

IV 自测与评估

1. 已知一个复数的模为 3，实部为 $\sqrt{2}$，求这个复数．

2. 已知 $z_1=x+y+(x^2-xy-2y)i$，$z_2=(2x-y)-(y-xy)i$，问 x，y 取什么实数值时：

(1) z_1，z_2 都是实数？　　　(2) z_1，z_2 互为共轭复数？

3. 设 z_1，z_2 是两个复数，已知 $z_2=3+4i$，$|z_1|=5$，且 $z_1\cdot z_2$ 是纯虚数，求 z_1．

4. 已知 $z_1=2$，$z_2=2i$，z 是一个模为 $2\sqrt{2}$ 的复数，并且 $|z-z_1|=|z-z_2|$，求 z．

5. 证明多项式 $f(x)=6x^5+11x^4+5x^3+5x^2-x-6$ 能被 x^2+1 整除．

（提示：判断 $f(x)$ 是否含因式 $(x+i)(x-i)$．）

6. 设 A，B 为实数，判断

$$(\cos A+i\sin A)^2=\cos 2A+i\sin 2A$$

是否正确．

复平面与高斯

历史上，人们对虚数的认识与对负数、无理数的认识一样，经历了一个漫长的过程.

卡尔丹

众所周知，在实数范围内负数的偶次方根不存在. 公元 1545 年，意大利人卡尔丹（Cardan）讨论这样一个问题：把 10 分成两部分，使它们的积为 40，他找到的答案是 $5+\sqrt{-15}$ 和 $5-\sqrt{-15}$. 即

$$(5+\sqrt{-15})+(5-\sqrt{-15})=10,$$
$$(5+\sqrt{-15})(5-\sqrt{-15})=40.$$

卡尔丹没有因为 $5+\sqrt{-15}$ 有违前人负数不能开平方的原则而予以否定，笛卡儿给这个还找不到合理解释的数起了个名字——"虚数". 由理论思维得出的数 $5+\sqrt{-15}$ 能表示自然界中哪些量呢？从此"虚数"这个令人不解的怪物困扰数学界达几百年之久. 即使在 1730 年棣莫弗得到公式 $(\cos\theta\pm i\sin\theta)^n=\cos n\theta\pm i\sin n\theta$，1748 年欧拉发现关系式 $e^{ix}=\cos x+i\sin x$ 的情况下，这种困扰仍没有澄清.

高斯

伴随着科学技术的发展，1831 年德国人高斯创立了虚数的几何表示，它被理解为平面上的点或向量，即复数 $z=a+bi$ 与平面直角坐标系内的点 $Z(a,b)$ 和向量 $\overrightarrow{OZ}$ 相互对应，从而与物理学上的各种矢量相沟通，使复数成为研究力、位移、速度、加速度等量的强有力的工具. 比如在电工学中，交流电的电动势、电流都可以用复数表示

$$\varepsilon=\varepsilon_m[\cos(\omega t+\varphi)+i\sin(\omega t+\varphi)],$$
$$i=i_m[\cos(\omega' t+\varphi')+i\sin(\omega' t+\varphi')],$$

由它们的模和辐角完全确定了电压和电流的变化规律. 从此复数才被普遍接受.

高斯是历史上最伟大的数学家之一. 他不仅以少年时代对"$1+2+3+4+\cdots+98+99+100=?$"的巧妙算法倾倒众人，而且在他探索过的众多科学领域，都留有重要的贡献：

在数学领域，他发现了素数定理；发现并证明了数论中的二次互反律；首次严格证明了代数基本定理：一元 n 次方程在复数集上恰有 n 个根. 他还解决了两千年来古希腊人的遗留问题，找到了用直尺和圆规作正 17 边形的方法……

在物理学领域，他定出地磁南、北极的位置；给出了第一张地磁场图；建立了电磁学的高斯单位制……

在天文学领域，高斯创立计算行星轨道的方法；算出小行星谷神星的轨道，发现小行星智神星的位置；发表有关天体运动的重要著作《天体运动理论》……

第四章 框 图

4.1 流程图

4.2 结构图

俗话说，一图胜千言．这主要是由于图具有简单明了、直观形象等特点，它将所描述的事物一一显露出来，使人一览无遗，了然于胸．本章我们所要介绍的流程图（又称统筹图）和结构图，它们不仅具有上述优点，而且能够清晰地表明算法，展示工序的流程顺序，揭示知识的内在联系，从而为人们掌握算法，编制相应的计算机程序，为安排工程作业进度，分配调整工程作业人员，节省时间、提高效率、缩短工期，为更深入地领会知识结构、洞悉事物之间的联系等等，提供了帮助．

本章着重通过具体实例，将使你了解流程图和结构图的广泛应用，体验它们在解决实际问题以及在表示数学计算、表示证明过程的主要逻辑步骤中的作用和优越性，并能够应用它们解决一些实际问题、刻画数学问题以及其他问题，提高你的抽象概括能力和逻辑思维能力，从而增强你的创新意识和应用数学工具的能力．

4.1 流程图

从数学3中我们知道，算法是解决问题的方法与步骤．如何来表示算法呢？当然可以用自然语言来描述它．但是用自然语言来描述算法是有缺憾的．有时为了描述一个算法，要用很长一段话才能说得明白，使得整个说明变得拖沓冗长，特别是依据某种条件作出抉择或者处理雷同的操作或运算时更是如此，甚至还可能产生歧义．由于计算机只会机械地执行指令而不会做临场判断，因而显得无所适从．

鉴于用自然语言描述算法所出现的种种弊端，人们开始用流程图来表示算法，这种描述方法既避免了自然语言叙述算法的拖沓冗长，又消除了歧义性，且能清晰准确地表述该算法的每一步骤，因而深受欢迎．

在数学3算法一章，我们用程序框图描述算法．现再举一个常见又常用的例子来说明程序框图的画法与作用．

例1 两个形状一样的杯子里分别装有红葡萄酒和白葡萄酒．现在要将这两个杯子里所装的酒对调，试画出流程图．

解：设装红葡萄酒的杯子为 A，装白葡萄酒的杯子为 B．为使两种酒能够对调，需要有一空杯，设为 C．将 A 中所盛之物注入 C 内，记为 $A{\rightarrow}C$，于是有如图4-1的流程图．

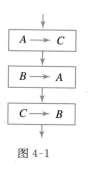

图 4-1

本例在程序设计中经常用到，如果将两个实数 x,y 进行比较，将大数存于 x，小数存于 y，则有如图4-2所示的流程图．

思考与讨论

在解决两个数据对调的问题时，经常发生下面的错误：

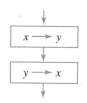

同学们想一想，经过上面的操作，x,y 各为什么数？

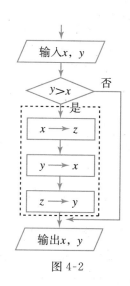

图 4-2

现在我们重新审视图4-1，它代表了计算机内交换两变量值的算法．实际上，它本身还描述了"对调两种葡萄酒"这一工作的三个依次进行的工序．因此，图4-1就是一种简单的工序流程图.

工序流程图又称统筹图，常见的一种画法是：将一个工作或工程从头至尾依先后顺序分为若干道工序（即所谓自顶向下），每一道工序用矩形框表示，并在该矩形框内注明此工序的名称或代号. 两相邻工序之间用流程线相连. 有时为合理安排工程进度，还在每道工序框上注明完成该工序所需时间. 开始时工序流程图可以画得粗疏，然后再对每一框逐步细化.

例 2 想沏壶茶喝. 当时的情况是：开水没有，烧开水的壶要洗，沏茶的壶和茶杯要洗，茶叶已有，问应如何操作？

方案 1 洗好水壶，灌入凉水，放在火上，打开煤气待水烧开后洗茶壶、茶杯，拿茶叶，沏茶.

如果将上述烧水沏茶过程中的每一项工作用矩形框加文字说明表示，将前后两项工作用带有箭头的流程线相连，则该方案可以用下图表示出来：

$$\underset{1}{\boxed{洗水壶}} \rightarrow \underset{15}{\boxed{烧开水}} \rightarrow \underset{2}{\boxed{洗茶壶、茶杯}} \rightarrow \underset{1}{\boxed{取茶叶}} \rightarrow \underset{1}{\boxed{沏茶}}$$

如果我们将每项工作所需时间都标于表示该项工作的方框之上，则易于看出，整个工作按方案 1 进行，需时 20 分钟.

方案 2 先作好准备工作，即洗水壶、洗茶壶、茶杯、取茶叶、灌凉水烧开水、沏茶，将此方案用图表示出来，则有：

$$\underset{1}{\boxed{洗水壶}} \rightarrow \underset{2}{\boxed{洗茶壶、茶杯}} \rightarrow \underset{1}{\boxed{取茶叶}} \rightarrow \underset{15}{\boxed{烧开水}} \rightarrow \underset{1}{\boxed{沏茶}}$$

从所用时间上看，方案 2 仍然是 20 分钟，与方案 1 没有什么区别，但工序有所不同.

方案 3 洗好水壶，灌入凉水烧开水，在等待水开的时间内洗茶壶、茶杯、拿茶叶，水开后沏茶：

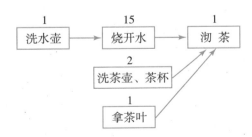

由上图可知，方案 3 需时 17 分钟. 由此可知，它较方案 1 和方案 2 的效率高. 我们还可以将上面流程图中的洗茶壶、茶杯和拿茶叶三项工序合并到一个框内，于是上图可以改写成下图：

统筹方法的基本原理是：从需要管理的任务的总进度着眼，以任务中各工作或各工序所需要的工时为时间因素，按照工作或工序的先后顺序和相互关系作出工序流程图——统筹图，以反映任务全貌，实现管理过程模型化，然后进行时间参数计算，找出计算中的关键工作和关键路径，对任务的各项工作或工序所需的人、财、物，通过改进统筹图作出合理安排，进而得到最优方案并付诸实施.

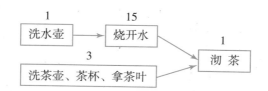

从上面所画的框图，我们可以了解到从准备烧水到沏茶的全过程。工序流程图体现了各工序之间的相互衔接关系。我们可以通过其上标出的所需工时进行统筹安排以提高工效，进而达到省时，省人力、物力的目的。同学们可能会认为这是小题大做，一件烧开水沏茶的事不值得这么琢磨。现在再举一个简单的例子，说明统筹图确实是工程管理的有用工具，小题可以做出大文章。

例3 商家生产一种产品，需要先进行市场调研，计划对北京、上海、广州三地市场进行市场调研，待调研结束后决定生产的产品数量。

方案1 派出调研人员赴北京、上海、广州调研，待调研人员回来后决定生产数量。

立项 → 北京调研 → 上海调研 → 广州调研 → 投产

方案2 商场如战场！抓紧时间搞好调研，然后进行生产。调研为此项目的瓶颈，因此需要添加力量，齐头并进（即平行工序）搞调研，以便提早结束调研，尽早投产使产品占领市场。于是：

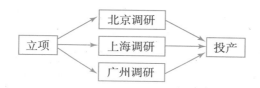

通过方案1和方案2统筹图的比较可以发现，方案2较方案1更为可取。

在我们所介绍的流程图内，每一个框代表一道工序，流程线则表示两相邻工序之间的衔接关系，这是一个有向线，其方向用它上面的箭头标识，用以指示工序进展的方向。显然，在工序流程图上不允许出现几道工序首尾相接的圈图或循环回路，当然对每一道工序还可以再细分，还可以画出更精细的统筹图，这一点完全类似于算法的流程图表示：自顶向下，逐步细化。

要在一规划区域内建一工厂，试画出该工厂由拆迁、设计、购买设备、厂房建设、设备安装到试车生产的工序流程图。

要画工序流程图，首先要弄清整项工程应划分为多少道工序，这当然应该由上到下，先粗略后精细，其次是仔细考虑各道工序的先后顺序及互相联系、制约的程度，最后要考虑哪些工序可以平行进行，哪些工序可以交叉进行．一旦上述问题都考虑清楚了，一种合理的工序流程图就成竹在胸了，依据其去组织生产，指挥施工，确能收到统筹兼顾的功效．

如上所述，现在来分析我们的问题，要在某一规划区域内筹建工厂，拆迁和工程设计可以同时进行．如果工程设计分为两个部分的话，那就是土建设计与设备采购这两项又可以同时进行．显然，当拆迁工作和土建设计进行完才能进行厂房土建工程，在厂房土建工程和采购设备进行完才能进行设备安装调试，待此工序完成后，才能进行试生产，如此分析之后，我们可以列表如下：

工序代号	工序名称	所需工时	紧前工序❶
A	拆迁	略	——
B	工程设计		——
C	土建设计		B
D	设备采购		B
E	厂房土建		A，C
F	设备安装		D，E
G	设备调试		F
H	试生产		G

注

❶ 紧前工序，即与该工序相衔接的前一工序．

有了上面的工序分析，不难画出工序流程图如下：

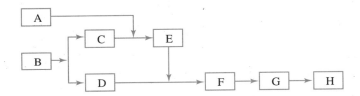

应该指出的是，在上图中我们并没有标出该工序所需工时，这在实际中是相当重要而又难以估计的参数．说其重要，是由于依据它可以合理地调配人力、物力、财力，力争缩短工期．有了比较可靠的所需工时估计，才有可能统筹兼顾，适当安排．一般地说，这一项与最快可能完成该工序所需工时，最慢可能完成该工序所需工时，以及最可能完成该工序所需工时有关．限于篇幅，我们不去讨论这部分内容．

还应该指出的是，在安排各工序时，应该尽可能安排平行作业和交叉作业，这样有利于缩短工期，及早投产．例如美国海军试制北极星导弹时，由于使用了工序流程图，尽可能地安排平行工序与交叉工序，结果使该计划较原来规定的期限提前了一年半到两年时间！另据报道，某商业部门拟建一座大型商厦，三层还在土建，二层已开始装修，一层就开始试营业了，而决不是先土建，全部完工之后再装修，全部装修完之后再营业的模式所能比拟的．这种平行、交叉工序的应用会带来多么大的效益就可想而知了．小小的工序流程图，蕴藏着统筹兼顾，适当安排的科学性，从而带来的是巨大的效益．

让我们还是来考虑上面的例子，看看交叉工序怎么画统筹图．在此，我们仅将拆迁工序分成两部分 A_1 与 A_2（如厂房1和厂房2的原址拆迁），类似地，我们也将土建工程及安装、调试都分成两部分：

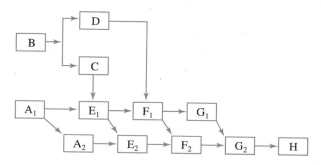

合理地设定每道工序所需时间，容易看出此方案较前一方案能够缩短工期.

习题 4-1

1. 试画出求解实系数一元二次方程

$$ax^2+bx+c=0$$

的根的框图.

2. 试画出任意输入 10 个实数，求出其中最大数与最小数和平均数的框图.

3. 某工厂生产一种产品，具体流程如下：由供销部门领取原材料，进行粗加工，检验；合格者进入精加工，否则返修加工，之后再检验，合格者转入精加工，不合格者为废品. 经过精加工后要验收，合格者为成品，不合格者为废品. 试将该工厂生产此类产品的生产过程画成工序流程图.

4. 某高校新生入学注册分为如下步骤：（1）交录取通知书；（2）体检；（3）交费；（4）办理学生证；（5）领书及宿舍钥匙；（6）办理图书借阅卡；（7）参加迎新大会. 试画出迎新工作的流程图.

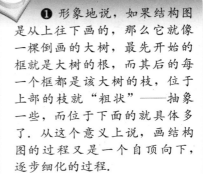

同学们学完某门功课的一章，想想该章功课的体系结构，从基本概念的引入到重要结论的得出，都能熟记于心，因而觉得很有收获．但仅仅做到这一步还不够，而应该像春蚕咀嚼桑叶，将学过的知识细嚼慢咽，逐步分解为一个个的知识点，再将这一个个的知识点理顺逻辑关系有机地串起来，这个过程可以使得你将读过的书变薄．这种由薄变厚再由厚变薄的读书过程，能帮助我们融会贯通地掌握所学知识．在这个过程中，知识结构图可以助你一臂之力．

同学们现在使用的这套教材，每一章的章末都附有知识结构图，在平时学习的基础上看这个图，就能很快地掌握这一章知识的主要脉络．那么该如何画知识结构图呢？

首先，你要对所画结构图的每一部分有一个深刻的理解和透彻的掌握，从头至尾抓住主要脉络进行分解．然后将每一步分解进行归纳与提炼，形成一个个知识点并将其逐一地写在矩形框内．最后，按其内在的逻辑顺序将它们排列起来并用线段相连，这样就画成了知识结构图．❶

例1 试画出数学1"集合"一章的知识结构图．

解：假设我们刚复习完集合那一章，想想那一章都讲了些什么．首先给出了集合的概念，其次讨论了集合的表示方法，最后介绍了集合的关系与运算，于是你有了一个粗疏的结构图：

> ❶ 形象地说，如果结构图是从上往下画的，那么它就像一棵倒画的大树，最先开始的框就是大树的根，而其后的每一个框都是该大树的枝，位于上部的枝就"粗状"——抽象一些，而位于下面的就具体多了．从这个意义上说，画结构图的过程又是一个自顶向下，逐步细化的过程．

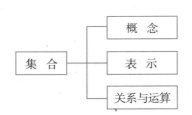

这个框架还是太粗了些．于是"表示"一栏又可分解为：

接下来考虑集合的关系与运算，首先来考虑关系，也就是包含与被包含关系，进而有子集的概念，子集又有真子集与相等，至此两集合的关系就很清楚了．

最后，集合的运算可以细化为集合的并、交、补．

那么，集合一章的知识结构图便成形如下：

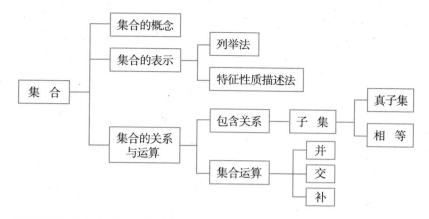

例2 一个暑假就要过去了，小强一想到过去的一个月就很兴奋：假期开始的时候，妈妈想让他上一个辅导班，爸爸却让他到中关村一家电脑公司去打下手——当小工. 一个月过去了，小强要将这一个月学到的有关个人电脑知识进行总结，画出了下面的知识结构图：

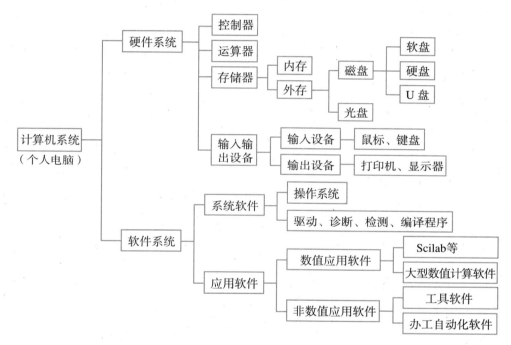

同学们，你认为小强所画的这份电脑知识结构图合适吗？还要做些什么修改和补充？小强这一个月收获如何？假如你就是小强，你会不会很兴奋？

习题 4-2

1. 试就你学过的某门功课某一章，画出其知识结构图.
2. 参观一图书馆的目录检索室，画出该馆图书资料检索结构图.

本章小结

Ⅰ 知识结构

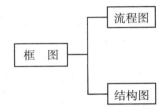

Ⅱ 思考与交流

1. 在程序流程图内允许有闭合回路，而在工序流程图内不允许出现闭合回路，为什么？

2. 按照本章的知识结构图来复习梳理本章的内容.

Ⅲ 巩固与提高

1. 要测定某型号计算机浮点运算的精度，实际上只要知道 $1+\varepsilon>1$ 的最小值 ε 是多少就可以了，即在浮点运算中计算机能够分辨出 $1+\varepsilon$ 与 1 为不同值的 ε 最小为多大. 目的在于确定实型数据有效位是小数点后几位，超过这个位数，计算机由于用有限位表示数，因而在进行运算时便将其视同为 0，试写一结构流程图，用上述办法确定该型号计算机浮点运算的精度.

2. 将春种分为三个工序：平整土地、打畦、插秧. 试画出这三个工序交叉进行的工序流程图.

3. 试就两三角形相似这一内容，整理出一份知识结构图.

Ⅳ 自测与评估

1. 我国民间流传着这样一个问题："一百匹马，一百片瓦，公马驮三，母马驮两，小马三个驮一片瓦，问有多少公马、母马和小马？"试画出用计算机求解此问题的流程图.

2. 6 个人同行，则定有三人或两两相识或两两不相识. 试给出计算机证明上述问题的流程图.

3. 明天小强要参加班里组织的郊游活动，为了做好参加这次郊游的准备工作，他测算了如下数据：

整理床铺、收拾携带物品 8 分钟，洗手 2 分钟，洗脸、刷牙 7 分钟，准备早点 15 分钟，煮牛奶 8 分钟（有双眼煤气灶可以利用），吃早饭 10 分钟，查公交线路图 5 分钟，给出差在外的父亲发手机短信 2 分钟，走到公共汽车站 10 分钟，等公共汽车 10 分钟. 小强粗略地算了一下，总共需要 77 分钟. 为了赶上 7∶50 的公共汽车，小强决定 6∶30 起床，不幸的是小强一下子睡到 7∶00！小强还能参加这次郊游吗？请你帮小强安排一下时间，画出一份郊游出行统筹图来，以使得小强还能来得及参加此次郊游.

4. 试写出三角函数诱导公式一章的知识结构图.

冯·诺伊曼

　　冯·诺伊曼 1903 年 12 月 3 日生于匈牙利布达佩斯（一说 1903 年 12 月 28 日生于布达佩斯），1921～1925 年在布达佩斯大学注册当学生。在此期间，他先后入柏林大学和苏黎士联邦工业大学学习化学。1925 年取得化学工程师资格。与此同时，他深受希尔伯特、施密特、外尔等人思想的影响，认真听数学课，并开始研究数理逻辑，于 1926 年春获布达佩斯大学数学博士学位，随即成为希尔伯特的助手，开始了他作为数学家的生涯。

　　冯·诺伊曼是 20 世纪最重要的数学家之一，在纯粹数学与应用数学方面都有杰出的贡献。他的工作大致可以分为两个时期，1940 年以前，主要是纯粹数学的研究，他在数理逻辑方面提出简单而明确的序数理论。其后，他研究希尔伯特空间上线性自伴算子谱理论，为量子力学打下了数学基础。1933 年，他解决了关于紧致群的希尔伯特第 5 问题。他在测度论、格论和连续几何方面作出了开创性的贡献。1936～1943 年，他与默里合作，创作了算子环理论，即现在的所谓冯·诺伊曼代数。

　　1940 年以后，冯·诺伊曼转向应用数学，并在力学、经济学、数值分析等方面作出了许多开创性的工作。第二次世界大战开始，因战事需要他研究了可压缩气体运动，建立了激波理论和湍流理论，发展了流体力学。从 1942 年起，他与莫根施特恩合作，写出了《博弈论和经济行为》一书，这是博弈论（又称对策论）中的经典著作，该书使他成为数理经济学的奠基人之一。冯·诺伊曼还是现代数值分析（即计算数学）的缔造者之一。他首先研究线性代数的数值计算问题。然后着重研究非线性微分方程的离散化方法及稳定性问题，并给出误差估计。他所得出的结论，现已成为经典。他还协助发展了一些算法，特别是蒙特卡罗法。

　　在描绘冯·诺伊曼的多姿多彩的人生画卷时，不能不提到他对计算机科学的伟大贡献。1944 年他参加了莫里利和埃克脱领导的"埃尼阿克"计算和研究工作，在计算机的理论和设计方面发挥了重要作用。1945 年，冯·诺伊曼发表了离散变量自动电子计算机"埃德伐克（EDVAC）"计算机设计方案，提出重大革新措施。1945 年，他与巴克斯等人合作，在仙农提倡的二进制、程序内存以及指令与数据统一存储的思想的基础上，提出了更加完善的计算机设计报告《电子计算机逻辑设计初探》，全面阐述了指引计算机科学发展的思想。正是在冯·诺伊曼这种思想的指引下，计算机科学走过了辉煌的六十年。

　　40 年代末，他开始研究自动机理论，研究一般逻辑理论和自复制系统。在他生命的最后时刻，他深入比较了天然自动机与人工自动机。他逝世后其未完成的手稿在 1958 年以《计算机与人脑》为名出版。

　　冯·诺伊曼 1933 年成为新建的美国普林斯顿高等研究所教授。第二次世界大战期间，他首任研究原子弹的顾问，1954 年成为美国原子能委员会委员，在这一岗位上他一直工作到 1957 年，即他逝世的那一年。

附 录

部分中英文词汇对照表

统计	statistics
相关	correlation
独立性检验	independence test
散点图	scatter diagram
回归直线	regression straight line
线性回归分析	linear regression analysis
合情推理	plausible reasoning
归纳推理	inductive reasoning
类比推理	analogical reasoning
演绎推理	demonstrative reasoning
综合法	method of synthesis
分析法	method of analysis
反证法	reduction to absurdity
虚数	imaginary number
复数	complex number
复数集	set of complex numbers
实部	real part
虚部	imaginary part
虚数单位	imaginary unit
复平面	complex plane
实轴	real axis
虚轴	imaginary axis
共轭复数	conjugate complex number
模	modulus
框图	block diagram
流程图	flowchart

后 记

根据教育部制订的普通高中各学科课程标准（实验），人民教育出版社课程教材研究所编写的各学科普通高中课程标准实验教科书，得到了诸多教育界前辈和各学科专家学者的热情帮助和大力支持．在各学科教科书终于同课程改革实验区的师生见面时，我们特别感谢担任教科书总顾问的丁石孙、许嘉璐、叶至善、顾明远、吕型伟、王梓坤、梁衡、金冲及、白春礼、陶西平同志，感谢担任教科书编写指导委员会主任委员的柳斌同志和编写指导委员会委员的江蓝生、李吉林、杨焕明、顾泠沅、袁行霈等同志．

本套高中数学实验教科书（B版）的总指导为丁尔陞教授．从教材立项、编写、送审到进入实验区实验的过程中，在丁尔陞、孙瑞清、江守礼、房艮孙、王殿军等专家教授的指导下，经过实验研究组全体成员的努力，基本上完成了"课标"中各模块的编写任务，并通过了教育部的审查．

山东、辽宁等实验区的教研员和教师在实验过程中，对教材编写的指导思想、教材内容的科学性、基础性、选择性以及是否易教、易学等诸方面，进行了审视和检验，提出了许多的宝贵意见，并针对教材和教学写出了大量的论文．我们在总结实验的基础上，逐年对教材进行认真的修改，使教材不断的完善．现在所取得的成果，是实验研究组全体成员、编者，实验区的省、市、县各级教学研究员及广大数学教师集体智慧的结晶．

各实验区参加教材审读、研讨及修改的主要成员有：

韩际清、常传洪、尹玉柱、秦玉波、祝广文、尚凡青、杨长智、田明泉、邵丽云、于世章、李明照、胡廷国、张颉、张成钢、李学生、朱强、窦同明、姜传祯、韩淑勤、王宗武、黄武昌．

刘莉、宋明新、高锦、赵文莲、王孝宇、周善富、胡文亮、孙家逊、舒凤杰、齐力、林文波、敕丽、刘鑫、李凤、金盈、潘戈、高钧、魏明智、刘波、崔贺、李忠、关玲、郝军、郭艳霞、董晖、赵光千、王晓声、王文、姚琳．

在此，特向参与、帮助、支持这套教科书编写的专家、学者和教师深表谢意．

我们还要感谢实验区的教育行政和教研部门，以及使用本套教材的学校领导和师生们．

让我们与一切关心这套教材建设的朋友们，共同携起手来，为建设一套具有中国特色的高中数学教材而努力．

我们的联系方式如下：

电话：010-58758523　　010-58758532

电子邮件：longzw@pep.com.cn

人民教育出版社　课程教材研究所

中学数学教材实验研究组